verlaghpt.at

LÖSUNGEN ZU

MATHEMATIK 2

SCHALK
STEINER

Petrovic Zenmiz

HEINZ-CHRISTIAN SCHALK
GERALD F. STEINER

und Gerhard Baumgartner, Christa Binder, Andreas Bolhar-Nordenkampf, Manfred Gurtner-Würl, Peter Konstantiniuk, Andreas Plihal, Goswin Rümmele, Andreas Steinwender, Nikolaus Zangerl

unter Mitarbeit der Verlagsredaktion Mathematik

verlaghpt.at

Lösungen zu MATHE-MATIK 2

bearbeitet von Andreas Plihal, Claudio Zaccarelli und der Verlagsredaktion Mathematik

Verlag Hölder-Pichler-Tempsky GmbH & Co. KG, Wien
www.verlaghpt.at

Mit Bescheid des Bundesministeriums für Unterricht und kulturelle Angelegenheiten vom 30. Oktober 1998, GZ 41.244/3-III/D/13/97, als für den Unterrichtsgebrauch an Höheren technischen und gewerblichen Lehranstalten und an Höheren land- und forstwirtschaftlichen Lehranstalten für den II. Jahrgang sowie mit Bescheid vom 24. November 1999, GZ 41.244/1-III/D/13/99, an technischen, gewerblichen und kunstgewerblichen Fachschulen für die 2. Klasse, an Höheren technischen und gewerblichen Lehranstalten für Berufstätige sowie an Vorbereitungslehrgängen für Berufstätige für das 2. Semester im Unterrichtsgegenstand Mathematik und angewandte Mathematik geeignet erklärt.

Schulbuch-Nr.: 5.592

Es ist vorgesehen, dass dieses Lösungsheft zur Kontrolle und nicht zum Abschreiben verwendet wird. Demgemäß ist keine Lösung angegeben, wenn dadurch der Rechen- bzw. Gedankengang vorweg genommen wird. Bei den im Schulbuch Nr. 5.591 „Schalk-Steiner, Mathematik, Band 2“ blau gekennzeichneten Aufgaben bzw. Aufgabenteilen wird der Lösungsweg ausführlich dargestellt.

Die Autoren und der Verlag bitten, alle Anregungen und Vorschläge, die dieses Lösungsheft betreffen, an folgende Adresse zu senden:

Verlag HÖLDER • PICHLER • TEMPSKY GmbH & Co. KG, Lektorat
1090 Wien, Frankgasse 4
E-mail: service@verlaghpt.at

Umschlag: IBM Computerkunst, Komposition von Jean-Claude Halgand (Frankreich)

Schulbuchvergütung/Bildrechte: © VBK, Wien

3. Auflage, Nachdruck 2010 (3,02)
Alle Drucke der 3. Auflage können im Unterricht nebeneinander verwendet werden.

Satz, technische Zeichnungen, Druck und Bindung: Ernst Becvar GmbH, Wien

ISBN 978–3–230–02678–1

INHALTSVERZEICHNIS

1. a) wahr **b)** falsch **c)** falsch **d)** wahr

e) wahr **f)** wahr **g)** falsch **h)** wahr

2. a) $7^{\frac{1}{2}}$ **b)** $2^{\frac{1}{3}}$ **c)** $3^{\frac{4}{5}}$ **d)** $9^{\frac{5}{4}}$

3. a) $a^{\frac{1}{2}}$ **b)** $b^{\frac{y}{x}}$ **c)** $(a+b)^{\frac{1}{2}}$ **d)** $(x-y)^{\frac{3}{4}}$

4. a) $5^{-\frac{1}{2}}$ **b)** $x^{-\frac{3}{4}}$ **c)** $(a+b)^{-\frac{1}{5}}$ **d)** $5^{\frac{4}{3}}x^{\frac{5}{3}}yz^2$

5. a) $\sqrt{2}$ **b)** $\sqrt[3]{9}$ **c)** $\sqrt{7}$ **d)** $\sqrt[5]{11^4}$

6. a) $\sqrt[7]{a^2}$ **b)** $\sqrt[x]{x^y}$ **c)** $5\sqrt[8]{x^3}$ **d)** $\sqrt[8]{125x^3}$

7. a) $\frac{1}{\sqrt[4]{3}}$ **b)** $\frac{1}{5^a\sqrt[4]{5^a}}$ **c)** $\sqrt[a]{25}$ **d)** $\frac{1}{\sqrt[5]{(x+y)^3}}$

8. a) $4\sqrt{2}$ **b)** $4\sqrt{3}$ **c)** $3\sqrt{6}$ **d)** $2\sqrt{22}$

9. a) $6\sqrt{3}$ **b)** $8\sqrt{2}$ **c)** $5\sqrt{10}$ **d)** $5\sqrt{15}$

10. a) $2\sqrt[3]{4}$ **b)** $2\sqrt[3]{6}$ **c)** $3\sqrt[3]{2}$ **d)** $2\sqrt[3]{11}$

11. a) $3\sqrt[3]{4}$ **b)** $4\sqrt[3]{2}$ **c)** $5\sqrt[3]{2}$ **d)** $5\sqrt[3]{3}$

12. a) $a^2\sqrt{a}$ **b)** $x\sqrt[4]{x^3y}$ **c)** $xy\sqrt[5]{4x}$ **d)** $(a+b)\sqrt{a+b}$

13. a) $2x\sqrt[3]{3y}$ **b)** $2x\sqrt[4]{2xy}$ **c)** $2xy\sqrt[5]{y^2}$ **d)** $2a^2b^2\sqrt[5]{3bc}$

14. a) $\sqrt{8}$ **b)** $\sqrt{48}$ **c)** $\sqrt{98}$ **d)** $\sqrt{13}$

15. a) $\sqrt{3}$ **b)** 2 **c)** $\sqrt{2}$ **d)** 1

16. a) $\sqrt{x^3}$ **b)** $\sqrt{x^2y^2z}$ **c)** $\sqrt{z(x+y)^2}$ **d)** $\sqrt{\frac{x^6z}{y^2}}$

17. a) $\sqrt{x}$ **b)** $\sqrt{\frac{a}{b}}$ **c)** $\sqrt[3]{2x}$ **d)** $\sqrt[3]{abc}$

18. a) $\sqrt[4]{a^2-b^2}$ **b)** $\sqrt[3]{u^3+v^3}$ **c)** $\sqrt[3]{\frac{(x-y)^3(x^2+xy+y^2)}{(x-y)^2}} = \underline{\sqrt[3]{x^3-y^3}}$

19. a) $\sqrt{\sqrt{2}-1}$ **b)** $\sqrt{(\sqrt{5}-2)^2(\sqrt{5}+2)} = \sqrt{(\sqrt{5}-2)(5-4)} = \underline{\sqrt{\sqrt{5}-2}}$

c) $\sqrt[3]{5+2\sqrt{6}}$

20. a) $8\sqrt{3}$ **b)** $9\sqrt[3]{2}$

21. a) $28\sqrt{2}$ **b)** $4\sqrt[3]{3}+5\sqrt[3]{8\cdot 3}-2\sqrt[3]{27\cdot 3} = 4\sqrt[3]{3}+10\sqrt[3]{3}-6\sqrt[3]{3} = \underline{8\sqrt[3]{3}}$

22. a) $17\sqrt{5}$ **b)** $14\sqrt[3]{5}$

23. a) $80\sqrt{7}$ **b)** $19\sqrt[3]{4}$

24. a) 15 **b)** $10+2=\underline{12}$ oder $6\sqrt{2}\cdot\sqrt{2}=\underline{12}$ **c)** 28

25. a) 9 **b)** -8 **c)** $14-21=\underline{-7}$ oder $-\sqrt[3]{49}\cdot\sqrt[3]{7}=\underline{-7}$

26. a) $22\sqrt{6}$ **b)** 10

27. a) $-2-3\sqrt[3]{4}$ **b)** -1

28. a) 2 **b)** 1

29. **a)** 2 **b)** -11

30. **a)** -57 **b)** 98

31. **a)** $5\sqrt{10}+15+5\sqrt{2}+3\sqrt{5}$ **b)** $10\sqrt{10}+15\sqrt{15}-14\sqrt{14}-21\sqrt{21}$

32. **a)** 1 **b)** 22

33. **a)** 8 **b)** 2 **c)** $\sqrt{343}+\sqrt{7}=7\sqrt{7}+\sqrt{7}=\underline{8\sqrt{7}}$

34. **a)** 5 **b)** -1 **c)** $\sqrt[3]{49}-1$

35. **a)** $\sqrt[4]{8}$ **b)** $\sqrt[4]{27}$ **c)** $\sqrt[20]{2^4\cdot 2^5}=\underline{\sqrt[20]{2^9}}$ **d)** $3\sqrt[15]{3}$

36. **a)** 2 **b)** $\sqrt[6]{\frac{5}{6}}$ **c)** $\sqrt[5]{\frac{2}{81}}$ **d)** 1

37. **a)** $\sqrt[10]{x^7}$ **b)** $\sqrt[12]{x^3x^4}=\underline{\sqrt[12]{x^7}}$ **c)** $x\sqrt[15]{x^4}$ **d)** $x^2\cdot\sqrt[21]{x^{16}}$

38. **a)** $\sqrt[72]{(\frac{x}{y})^{17}}$ **b)** $\sqrt[6]{\frac{(x^3-1)^3(x^3+1)^2}{(x^3+1)^2(x^3-1)^2}}=\underline{\sqrt[6]{x^3-1}}$

c) $\sqrt{2}$ **d)** 1

39. **a)** $\sqrt[6]{3}$ **b)** $\frac{1}{\sqrt[10]{125}}$ **c)** $\sqrt[63]{49}$

d) $\sqrt[110]{11^{10}:11^{11}}=\sqrt[110]{11^{-1}}=\underline{\frac{1}{\sqrt[110]{11}}}$

40. **a)** 1 **b)** 1 **c)** $\sqrt[4]{5}$ **d)** $\frac{\sqrt[10]{5}}{\sqrt[20]{8}}$

41. **a)** $\frac{1}{\sqrt[10]{x^3}}$ **b)** $\sqrt[21]{x^3:x^7}=\sqrt[21]{x^{-4}}=\underline{\frac{1}{\sqrt[21]{x^4}}}$

c) $\sqrt[4]{x^3}$ **d)** $\sqrt[6]{x}$

42. **a)** $\sqrt[35]{x^{12}}$ **b)** $\sqrt[30]{(x-1)(x+1)^6}$ **c)** $\sqrt[24]{\frac{x+1}{x-1}}$

43. **a)** 1 **b)** $\frac{1}{\sqrt[7]{13}}$ **c)** $\sqrt{2}$

44. **a)** $x\sqrt[4]{x}$ **b)** $\frac{1}{\sqrt[13]{x}}$ **c)** $\frac{\sqrt[3]{x^2}\cdot x}{x\cdot\sqrt[15]{x}\sqrt[4]{x}}=\sqrt[60]{\frac{x^{40}}{x^4\cdot x^{15}}}=\sqrt[60]{x^{21}}=\underline{\sqrt[20]{x^7}}$

45. **a)** 2 **b)** $5\sqrt{5}$ **c)** $\sqrt[3]{9}$ **d)** $7\sqrt[3]{7}$

46. **a)** $3+2\sqrt{2}$ **b)** $2(4-\sqrt{15})$ **c)** $28+20\sqrt{21}+75=\underline{103+20\sqrt{21}}$

47. **a)** $7-5\sqrt{2}$ **b)** $2(11\sqrt{7}-13\sqrt{5})$ **c)** $8(3\sqrt{3}-2\sqrt{7})$

48. **a)** 27 **b)** 64 **c)** 32768 **d)** 729

49. **a)** 4 **b)** 243 **c)** 16 **d)** 25

50. **a)** $\sqrt[4]{3}$ **b)** $\sqrt[3]{3}$ **c)** $\sqrt{2}$ **d)** 6

51. **a)** x **b)** $\sqrt[3]{x}$ **c)** $\sqrt[30]{x^7}$ **d)** x

52. **a)** $\sqrt{3}$ **b)** $\sqrt{2}$ **c)** $\sqrt[104]{\frac{8}{4}}=\underline{\sqrt[104]{2}}$ **d)** $\sqrt{2}$

53. **a)** $\sqrt[4]{x^3}$ **b)** $\sqrt[5]{x^3}$ **c)** $x\sqrt[12]{x}$

54. **a)** $\sqrt[6]{2}$ **b)** $\sqrt[8]{2}$ **c)** $4\sqrt{\frac{1}{4}\sqrt{\frac{1}{4}\cdot\frac{1}{2}}} = 2\sqrt[4]{\frac{1}{8}} = \sqrt[4]{\frac{16}{8}} = \underline{\sqrt[4]{2}}$

55. **a)** $4\sqrt{2}$ **b)** $7\sqrt{7}$ **c)** $\frac{5\sqrt{2}}{4}$ **d)** $\frac{10\sqrt{2}}{7}$

56. **a)** $\frac{b\sqrt{a}}{a}$ **b)** $\frac{b\sqrt[3]{a^2}}{a}$

c) $\frac{a\sqrt[5]{a^4}}{\sqrt[5]{a}\sqrt[5]{a^4}} = \frac{a\sqrt[5]{a^4}}{\sqrt[5]{a^5}} = \frac{a\sqrt[5]{a^4}}{a} = \underline{\sqrt[5]{a^4}}$ **d)** $\sqrt[7]{a^3}$

57. **a)** $\frac{\sqrt{35}}{5}$ **b)** $\sqrt[3]{9}$ **c)** $\sqrt{15}$ **d)** $\sqrt[5]{4a}$

58. **a)** $\sqrt{2}-1$ **b)** $3+\sqrt{5}$ **c)** $\sqrt{3}-\sqrt{2}$ **d)** $\sqrt{7}-\sqrt{3}$

59. **a)** $3+\sqrt{21}$ **b)** $6-\sqrt{15}$

c) $\frac{(5\sqrt{7}+7\sqrt{5})(\sqrt{7}-\sqrt{5})}{(\sqrt{7}+\sqrt{5})(\sqrt{7}-\sqrt{5})} = \frac{35+7\sqrt{35}-5\sqrt{35}-35}{7-5} = \underline{\sqrt{35}}$ **d)** $\sqrt{21}$

60. **a)** $5+\sqrt{2}$ **b)** $24(7+4\sqrt{3})$ **c)** $\sqrt{30}$ **d)** $-24-7\sqrt{10}$

61. **a)** wahr **b)** wahr **c)** falsch **d)** wahr

e) wahr **f)** falsch **g)** wahr **h)** wahr

62. **a)** verdoppelt **b)** halbiert **c)** Parabel **d)** ungerade

e) gerade **f)** P_2, P_3, P_4 **g)** $y=0, x=0$ **h)** Nein.

63. Zeilen **b)** und **d)**

64. **b)** (1) $y = x^3$, (2) $y = x^5$

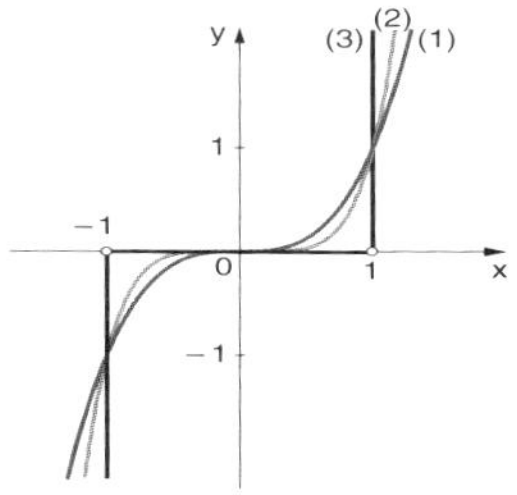

$$(3)\ y = \begin{cases} -1 & x = -1 \\ 0 & x \in]-1,+1[\\ +1 & x = +1 \end{cases}$$

Der Grenzgraph entspricht keiner Funktion mehr.

65. **c)** Nein (Der Punkt P (0, 1) gehört zur Funktion $x \mapsto 1$, nicht aber zur Funktion $x \mapsto x^0$).

66. **c)** (0, 0) und (1, 1)

67. **b)** (1, 1)

68. —

69. —

70. —

71. —

72. **a)** falsch **b)** falsch **c)** wahr **d)** wahr

e) falsch **f)** wahr **g)** wahr **h)** falsch

73. a) $y = \frac{x^2}{5}$ **b)** $y = \frac{x^2}{9}$ **c)** $y = x^3$ **d)** $y = \frac{x^3}{2}$

74. a) $y = \sqrt{2x}$ **b)** $y = \sqrt{x-1}$ **c)** $y = 2 + \sqrt[3]{x+2}$ **d)** $y = x^5 - 1$

75. a), **c)** und **e)**

76. b) und **c)**

77. a) $\{32\}$ **b)** $\{6\}$ **c)** $\{3\}$

78. a) $\{3\}$ **b)** $\{-385\}$ **c)** $\{22\}$

79. a) $\{\frac{20}{3}\}$ **b)** $16(4x+1) = 9(7x+2)$

$$64x + 16 = 63x + 18$$

$$\underline{x = 2} \qquad \underline{\mathbf{L} = \{\mathbf{2}\}}$$

80. a) $4 = 2\sqrt{x}$ **b)** $\{9\}$

$$16 = 4x$$

$$\underline{x = 4} \qquad \underline{\mathbf{L} = \{\mathbf{4}\}}$$

81. a) $\{1\}$ **b)** $\{2\}$

82. a) $\{40\}$ **b)** $\{9\}$

83. a) $\{5\}$ **b)** $\{1\}$

84. a) $\{7\}$ **b)** $\{24\}$

85. a) $\{5\}$

b) $\sqrt{x+1} + \sqrt{4(x+1)} = \sqrt{9(x+1)}$ | partielles Wurzelziehen

$$\sqrt{x+1} + 2\sqrt{x+1} = 3\sqrt{x+1}$$

$$3\sqrt{x+1} = 3\sqrt{x+1} \quad | \ :3$$

$$\sqrt{x+1} = \sqrt{x+1}$$

Im Unterschied zu den übrigen Aufgaben, wo sogenannte „Bestimmungsgleichungen" vorliegen, handelt es sich in diesem Fall um eine „identische Gleichung", die von unendlich vielen Lösungen erfüllt wird. Der Radikand darf allerdings nicht negativ werden. Wir müssen deshalb gewisse Lösungen ausschließen:

$$x + 1 \geqslant 0$$

$$x \geqslant -1 \Rightarrow D = \{x|\ x \in \mathbb{Q} \wedge x \geqslant -1\} \qquad \underline{\mathbf{L = D}}$$

86. a) $4x + 1 - 2\sqrt{(4x+1)(x+3)} + x + 3 = x - 2$ **b)** $\{1\}$

$$-2\sqrt{4x^2 + 13x + 3} = -4x - 6$$

$$\sqrt{4x^2 + 13x + 3} = 2x + 3$$

$$4x^2 + 13x + 3 = 4x^2 + 12x + 9$$

$$\underline{x = 6} \qquad \underline{\mathbf{L} = \{\mathbf{6}\}}$$

87. a) $\{1\}$ **b)** $\{4\}$

88. a) $\{-2\}$ **b)** $\{1\}$

89. a) $\{4\}$

b) $x + 12 + 2\sqrt{(x+12)(x-3)} + x - 3 = x + 32 - 2\sqrt{(x+32)(5+x)} + 5 + x$

$$2\sqrt{x^2+9x-36} = 28 - 2\sqrt{x^2+37x+160}$$

$$\sqrt{x^2+9x-36} = 14 - \sqrt{x^2+37x+160}$$

$$x^2+9x-36 = 196 - 28\sqrt{x^2+37x+160} + x^2 + 37x + 160$$

$$-28x - 392 = -28\sqrt{x^2+37x+160}$$

$$x + 14 = \sqrt{x^2+37x+160}$$

$$x^2 + 28x + 196 = x^2 + 37x + 160$$

$$-9x = -36$$

$$x = 4$$

Die Probe zeigt, dass $x = 4$ auszuscheiden ist: $\underline{\mathbf{L} = \{\}}$

90. a) $\{3\}$ **b)** $\{10\}$

91. a) $\{10\}$ **b)** $\{3\}$

92. $\{2\}$

93. $70{,}18\ cm^2$

94. 200 V

95. $C_{min} = 1{,}09$ pF, $C_{max} = 1{,}64$ pF

96. a) $R = \frac{1}{k}U^{1-\alpha}$ **b)** $P = kU^{1+\alpha}$

97. a) $a = \frac{h}{2}$ **b)** $I_a = 324 \cdot (54 + a^2)$

98. a) 4,63 m/s **b)** 3,71 m/s

99. a) 602 **b)** 519

100. 18 tex

101. a) $T_2 = T_1\left(\frac{p_2}{p_1}\right)^{1-\frac{1}{\kappa}}$ **b)** $T_2 = T_1\left(\frac{V_1}{V_2}\right)^{\kappa-1}$

102. a) $T_2 = 283{,}6$ K, $V_2 = 0{,}71\,dm^3$ **b)** $p_1 = 1{,}004$ bar, $V_2 = 0{,}056\,dm^3$

103. a) $\{8, -8\}$ **b)** $\{7, -7\}$ **c)** $\{\frac{8}{9}, -\frac{8}{9}\}$ **d)** $\{2, -2\}$

104. a) $\{\frac{5}{6}, -\frac{5}{6}\}$ **b)** $\{\}$ **c)** $\left\{\sqrt{\frac{3}{17}}, -\sqrt{\frac{3}{17}}\right\}$ **d)** $\{\}$

105. a) $\{\}$ **b)** $\{5, -5\}$

106. a) $\{6, -6\}$ **b)** $\{3, -3\}$

107. a) $\{10, -10\}$ **b)** $\{2, -2\}$ **c)** $\{2, -2\}$

108. a) $\{\frac{1}{2}, -\frac{1}{2}\}$ **b)** $\{\}$ **c)** $\{0\}$

109. **a)** $\{2, -2\}$

b) $(x+3)(3-x) = (3+x)(x-3)$

$-x^2 + 9 = x^2 - 9$

$2x^2 = 18$

$\underline{x_2 = -3}$ $\underline{L = \{-3\}}$

$x_1 = 3$ ist auszuscheiden (Probe!)

c) $\{1, -1\}$

110. **a)** $\{1, -1\}$ **b)** $\{1, -1\}$

111. **a)** $\{2, -2\}$

b) $1 + (2x+3)(x-3) = (3x+4)(x+3)$

$1 + 2x^2 - 3x - 9 = 3x^2 + 13x + 12$

$x^2 + 16x + 64 = 44$

$(x+8)^2 = 44$

$x_1 + 8 = 6,633$ $\underline{x_1 = -1,367}$

$x_2 + 8 = -6,633$ $\underline{x_2 = -14,633}$ $\underline{L = \{-1,367,\ -14,633\}}$

112. **a)** $\{3, -3\}$ **b)** $\{2, -2\}$

113. **a)** $\left\{\sqrt{\frac{b}{a}}, -\sqrt{\frac{b}{a}}\right\}$ **b)** $\left\{\sqrt{\frac{a^2+b^2}{a}}, -\sqrt{\frac{a^2+b^2}{a}}\right\}$ **c)** $\{\sqrt{a-1}, -\sqrt{a-1}\}$

114. **a)** $\left\{\sqrt{\frac{2a+1}{a+1}}, -\sqrt{\frac{2a+1}{a+1}}\right\}$ **b)** $\{\sqrt{a+4}, -\sqrt{a+4}\}$ **c)** $\{a+b, -a-b\}$

115. **a)** $\left\{\frac{\sqrt{-a^2-2ab+b^2}}{a+b}, -\frac{\sqrt{-a^2-2ab+b^2}}{a+b}\right\}$ **b)** $\{\sqrt{a^2+b^2}, -\sqrt{a^2+b^2}\}$

116. **a)** $\left\{\sqrt{\frac{c}{d}}, -\sqrt{\frac{c}{d}}\right\}$ **b)** $\left\{\frac{4a+b}{2}, -\frac{b}{2}\right\}$

117. **a)** $\left\{\frac{1}{a}, -\frac{1}{a}\right\}$ **b)** $\left\{\frac{b+a}{ab}, \frac{b-a}{ab}\right\}$ **c)** $\left\{\frac{b}{\sqrt{a^2-1}}, -\frac{b}{\sqrt{a^2-1}}\right\}$

118. **a)** $\{1, -1\}$ **b)** $\{1, -1\}$

119. **a)** $\{\sqrt{a^2-2ab-b^2}, -\sqrt{a^2-2ab-b^2}\}$ **b)** $\{\sqrt{a^2+b^2}, -\sqrt{a^2+b^2}\}$

120. **a)** $\left\{a\sqrt{\frac{5a+3}{5a-3}}, -a\sqrt{\frac{5a+3}{5a-3}}\right\}$ **b)** $\{1, -1\}$

121. **a)** $r = \frac{1}{2}\sqrt{\frac{O_K}{\pi}}$ **b)** $d = 2\sqrt{\frac{A}{\pi}}$ **c)** $a = 2\sqrt{\frac{A}{\sqrt{3}}}$

122. **a)** $a = \sqrt{\frac{A}{2(\sqrt{2}+1)}}$ **b)** $a = \sqrt{\frac{2A}{3\sqrt{3}}}$ **c)** $r = \frac{1}{2}\sqrt{\frac{3V}{\pi h}}$

123. **a)** (1) $a = \sqrt{c^2-b^2}$ (2) $b = \sqrt{c^2-a^2}$ (3) $c = \sqrt{a^2+b^2}$

b) (1) $r_1 = \sqrt{\frac{O_{HK}}{4\pi} - r_2^2}$ (2) $r_2 = \sqrt{\frac{O_{HK}}{4\pi} - r_1^2}$

124. **a)** (1) $r_1 = \sqrt{\frac{2V}{\pi h} - r_2^2 - \frac{h^2}{3}}$ (2) $r_2 = \sqrt{\frac{2V}{\pi h} - r_1^2 - \frac{h^2}{3}}$

b) (1) $a = \sqrt{d^2-b^2-c^2}$ (2) $b = \sqrt{d^2-a^2-c^2}$ (3) $c = \sqrt{d^2-a^2-b^2}$

125. **a)** $a = \sqrt{\frac{4A^2}{c^2} + \frac{c^2}{4}}$ **b)** $h = \sqrt{\frac{O_p}{2}\left(\frac{O_p}{2a^2} - 1\right)}$

126. a) $\{0,\ 1\}$ **b)** $\{0, -\frac{4}{5}\}$ **c)** $\{0,\ 6\}$

127. a) $\{2, -3\}$ **b)** $\{2, -1\}$ **c)** $\{4, -3\}$

128. a) $\{9{,}123,\ 0{,}877\}$ **b)** $\{4,\ -2\}$ **c)** $\{\frac{13}{2}, \frac{1}{2}\}$

129. a) $\{5, \frac{11}{5}\}$ **b)** $\{-\frac{2}{3}, -\frac{3}{2}\}$ **c)** $\{5{,}809,\ -3{,}409\}$

130. a) $\{3, \frac{1}{3}\}$ **b)** $\{\}$ **c)** $\{\}$

131. a) $\{6, -3\}$ **b)** $\{5, -\frac{11}{2}\}$

132. a) $\{2, -1\}$ **b)** $\{\frac{8}{5}, \frac{8}{7}\}$

133. a) $\{1, -5\}$ **b)** $\{1, \frac{2}{15}\}$

134. a) $\{7,\ 5\}$

b) $1331 - 363x + 33x^2 - x^3 + x^3 - 9x^2 + 27x - 27 = 512$

$$24x^2 - 336x + 792 = 0$$

$$x_{1,2} = 7 \pm \sqrt{7^2 - 33}$$

$$x_{1,2} = 7 \pm 4 \quad \underline{\mathbf{L = \{11,\ 3\}}}$$

135. a) $\{3, \frac{1}{3}\}$ **b)** $\{4, \frac{2}{3}\}$ **c)** $\{7,\ 5\}$

136. a) $\{10, -2\}$ **b)** $\{6, -\frac{25}{6}\}$

137. a) $\{2, -\frac{14}{5}\}$ **b)** $\{5, \frac{1}{5}\}$

138. a) $\{4, -\frac{7}{2}\}$ **b)** $\{6, -\frac{5}{2}\}$

139. a) $\{4\}$ **b)** $\{-2{,}634,\ -4{,}366\}$

140. a) $\{a, b\}$ **b)** $\{(a+b)^2,\ (a-b)^2\}$

141. a) $\{a^2 - ab + b^2,\ ab\}$ **b)** $\{a^2 + ab + b^2,\ -ab\}$

142. a) $\{\frac{1}{a}, -1\}$ **b)** $\{a, \frac{1}{a}\}$

143. a) $\{\frac{a}{a-b}, -1\}$ **b)** $\{\frac{a^2+1}{a},\ \frac{b^2+1}{a}\}$

144. a) $\{a+b,\ a\}$ **b)** $\{a+3b,\ -2b\}$

145. a) $\{a,\ b\}$ **b)** $\{a,\ b\}$

146. a) $\{\frac{a}{b},\ -\frac{1}{a}\}$ **b)** $\{\frac{a}{a-b},\ -\frac{a}{a+b}\}$

147. a) $\{\frac{a}{b},\ \frac{b}{a}\}$ **b)** $\{\frac{a}{b},\ -\frac{b}{a}\}$

148. a) $\{b,\ -a\}$

b)

$$\frac{1}{x-a+b} - \frac{1}{x} + \frac{1}{a} - \frac{1}{b} = 0$$

$$abx - ab(x-a+b) + bx(x-a+b) - ax(x-a+b) = 0$$

$$abx - abx + a^2b - ab^2 + bx^2 - abx + b^2x - ax^2 + a^2x - abx = 0$$

$$x^2(b-a) + x(a^2 - 2ab + b^2) + ab(a-b) = 0 \qquad (a \neq b)$$

$$x^2 + x(b-a) - ab = 0$$

$$x_{1,2} = \frac{a-b \pm \sqrt{(a-b)^2+4ab}}{2}$$

$$x_{1,2} = \frac{a-b \pm \sqrt{a^2+2ab+b^2}}{2}$$

$$x_{1,2} = \frac{a-b \pm (a+b)}{2}$$

$$\underline{\mathbf{L = \{a,\ -b\}}}$$

149. a) $\{a,\ -2a\}$ **b)** $\{\frac{a}{b},\ \frac{a}{a-b}\}$

150. a) $\{\frac{a-b}{a+b},\ -\frac{a+b}{a-b}\}$ **b)** $\{\frac{a+b}{a-b},\ \frac{a-b}{a+b}\}$

151. a) $\{a+b,\ 2b\}$ **b)** $\{2a,\ a+b\}$

152. a)

$$(a+bx)^2(a^2-b^2) - (a-bx)^2(a^2-b^2) = 4ab(a^2 - b^2x^2)$$

$$(a^2-b^2)(b^2x^2 + 2abx + a^2 - b^2x^2 + 2abx - a^2) = 4ab(a^2 - b^2x^2)$$

$$4abx\,(a^2-b^2) = 4ab(a^2 - b^2x^2)$$

$$b^2x^2 + x(a^2-b^2) - a^2 = 0$$

$$x_{1,2} = \frac{b^2-a^2 \pm \sqrt{(b^2-a^2)^2+4b^2a^2}}{2b^2}$$

$$x_{1,2} = \frac{b^2-a^2 \pm \sqrt{b^4+2a^2b^2+a^4}}{2b^2}$$

$$x_{1,2} = \frac{b^2-a^2 \pm (b^2+a^2)}{2b^2}$$

$$\underline{\mathbf{L = \{1,\ -\tfrac{a^2}{b^2}\}}}$$

b) $\{a+b,\ -\frac{a^2}{a+b}\}$

153. —

154. a) $x^2 + 8x - 9 = 0$ **b)** $x^2 + 38x + 165 = 0$

c) $x^2 + 34x + 289 = 0$ **d)** $x^2 - \frac{113x}{8} + \frac{7}{4} = 0$

e) $x^2 + \frac{7x}{10} - \frac{6}{5} = 0$ **f)** $x^2 - x(4 + \sqrt{2} + \sqrt{3}) + (3 + 3\sqrt{2} + \sqrt{3} + \sqrt{6}) = 0$

155. a) $x_2 = -20$ **b)** $x_2 = -6$ **c)** $x_2 = 21$ **d)** $x_2 = \frac{5}{2}$

e) $x_2 = -1$ **f)** $x_2 = -19$

156. a) $x^2 - 7x + 10 = 0$ **b)** $x^2 - 16x + 55 = 0$

c) $x^2 \pm \frac{x}{4} - \frac{45}{8} = 0$ **d)** $x^2 + 2x - 8 = 0$

e) $x^2 - 2x - 8 = 0$ **f)** $x^2 \pm \frac{39x}{14} - \frac{5}{2} = 0$

157. —

158. a) $\{1\}$ **b)** $\{-6,\ 6\}$ **c)** $\{-4,\ 4\}$ **d)** $\{4\}$

e) $\{0,\ 1\}$ **f)** $\{0,\ 3\}$

159. **a)** $x-5$ **b)** $2x+1$ **c)** $8x-40$

160. —

161. —

162. **a)** $\{x \in \mathbb{R} \mid -3 < x < 3\}$ **b)** $\{x \in \mathbb{R} \mid (x > 4) \vee (x < -4)\}$

c) $\{x \in \mathbb{R} \mid -5 < x < 5\}$

163. **a)** $\{\}$ **b)** $\{x \in \mathbb{R} \mid (x > \frac{7\sqrt{3}}{3}) \vee (x < -\frac{7\sqrt{3}}{3})\}$

c) $\{x \in \mathbb{R} \mid -\frac{3\sqrt{2}}{2} < x < \frac{3\sqrt{2}}{2}\}$

164. **a)** $\{x \in \mathbb{R} \mid (x > -7) \vee (x < -9)\}$ **b)** $\{x \in \mathbb{R} \mid -1 < x < 3\}$

c) $\{x \in \mathbb{R} \mid -289 < x < \frac{3}{17}\}$

165. **a)** $\mathbb{R} \setminus \{-1\}$ **b)** $\{x \in \mathbb{R} \mid \frac{1}{3} < x < 1\}$

c) $\{x \in \mathbb{R} \mid (x > \frac{5}{2} + \frac{\sqrt{66}}{3}) \vee (x < \frac{5}{2} - \frac{\sqrt{66}}{3}\}$

166. **a)** $\{x \in \mathbb{R} \mid -10 < x < 7\}$ **b)** $\mathbb{R}$

167. $S(1, -8)$

168. $S_1(3, -1), S_2(3, 0), S_3(3, 1)$

169. —

170. —

171. **a)** (2) **b)** (5) **c)** (7) **d)** (1) **e)** (8) **f)** (4) **g)** (9) **h)** (3) **i)** (6)

172. 1, −1

173. 0, 7

174. 1, 4

175. 6, 8

176. 8, 32

177. 1999: 4 %, 2000: 3 %

178. 5 %

179. sowohl bei 12,— Euro als auch bei 18,— Euro

180. $S_1(2, 2)$, $S_2(-8, -3)$

181. $y = -\frac{2x^2}{3} + 4x - 1$

182. **a)** $y = x^2 - 4x + 3$ **b)** 8 **c)** $N_1(3, 0)$, $N_2(1, 0)$

183. $y = -\frac{3x^2}{20} + \frac{x}{20} + \frac{5}{2}$

184. **a)** 8 **b)** $S_1(\frac{7}{2}, \frac{39}{4})$, $S_2(-2, 18)$

185. $y = ax^2 + bx + c$

$25 = 0a + 0b + c$

$\underline{c = 25}$

$$y = ax^2 + bx + 25$$
$$\underline{y = -x^2 + 16x}$$
$$ax^2 + bx + 25 = -x^2 + 16x$$
$$\underline{ax^2 + bx = -x^2 + 16x - 25}$$

$x_1 = 2$: $4a + 2b = -4 + 32 - 25$

$x_2 = 10$: $\underline{100a + 10b = -100 + 160 - 25}$

$$\left.\begin{array}{l} 4a + 2b = 3 \\ \underline{20a + 2b = 7} \end{array}\right\} -$$
$$-16a = -4 \Leftrightarrow a = \tfrac{1}{4}$$
$$4.\tfrac{1}{4} + 2b = -3 \Leftrightarrow b = 1$$
$$\underline{y = \tfrac{x^2}{4} + x + 25}$$

186. $y = \frac{3x^2}{8} + \frac{x}{2} - \frac{39}{8}$

187. **b)** -26 **c)** 4,66 bzw. $-1{,}66$ **d)** $y = \frac{x}{2} - \frac{9}{2}$ **e)** $S(\frac{33}{8}, -\frac{39}{16})$

188. $y = -\frac{x^2}{40} - \frac{x}{20} + 1{,}2$

189. **a)** (1) unterhalb (2) 3, 2 **b)** (1) oberhalb (2) -5

190. —

191. 60 dm

192. Quadrat mit der Seitenlänge a = 3 cm.

193. c = 36 mm, b = 26,83 mm

194. 12 cm

195.

$$\overline{AX} : \overline{XB} = \overline{XB} : 1$$
$$\overline{AX} = (\overline{XB})^2$$
$$\underline{\overline{AX} = 1 - \overline{XB}}$$
$$(\overline{XB})^2 + \overline{XB} - 1 = 0$$
$$(\overline{XB})_{1,2} = \frac{-1 \pm \sqrt{1+4}}{2}$$
$$(\overline{XB})_{1,2} = \frac{-1 \pm \sqrt{5}}{2}$$
$$(\overline{XB})_2 \text{ scheidet aus}$$
$$\overline{XB} = (\overline{XB})_1 = \frac{-1 \pm \sqrt{5}}{2} = 0{,}618$$
$$\overline{AX} = 1 - 0{,}618 = 0{,}382$$
$$\underline{\overline{AX} : \overline{XB} = 0{,}382 : 0{,}618 = 1 : 1{,}618}$$

196. 11

197. 19 cm

198. 0,5 mm

199. (1) r = 16 cm, h = 24 cm (2) r = 12 cm, h = 32 cm

200. 3 cm

201. a)

$$ct = 2\sqrt{(\tfrac{d}{2})^2 + h^2}$$
$$c^2t^2 = d^2 + 4h^2$$
$$4h^2 = c^2t^2 - d^2$$
$$h = \tfrac{1}{2}\sqrt{c^2t^2 - d^2}$$
$$h = \tfrac{1}{2}\sqrt{1516^2 \cdot 0{,}114^2 - 17^2}$$
$$\underline{h = 86\ \text{m}}$$

b) 63 m

202. $x = 345\,600$ km

203. 12.04.00 Uhr, 12.30.24 Uhr

204. a) (1) Die Population wächst auf 10^5 Individuen an. (2) Die Population stirbt aus.

b) (1) $0 \leqslant e < 0{,}0081$ (2) $x > 91000$

205. (1) $\{4,\ 2\}$ **(2)** $\{7,\ -10\}$ **(3)** $\{5,\ 2\}$ **(4)** $\{6{,}742,\ -0{,}742\}$

(5) $\{4,\ -1\}$ **(6)** $\{5{,}625,\ 5\}$ **(7)** $\{3,\ -0{,}5\}$ **(8)** $\{2,\ 0{,}5\}$

(9) $\{-2{,}5,\ -6\}$ **(10)** $\{1,\ 0{,}\dot{3}\}$

206. 0,72 Sekunden bzw. 2,54 Sekunden

207. 95 m/s

208. 21,2 m/s

209. 63,5 km/h

210. 0,662 m

211. $v_1' = -6{,}9$ m/s, $v_2' = 3{,}93$ m/s

212. a) $150 + 5t - \frac{9{,}81}{2}t^2 = 0$

$$4{,}905t^2 - 5t - 150 = 0$$
$$t_{1,2} = \frac{5 \pm \sqrt{5^2 + 4 \cdot 4{,}905 \cdot 150}}{2 \cdot 4{,}905}$$
$$t_{1,2} = \frac{5 \pm \sqrt{2986}}{9{,}81}$$

t_2 scheidet aus

$$\underline{t = t_1 = 6{,}06\,\text{Sekunden}}$$

b)

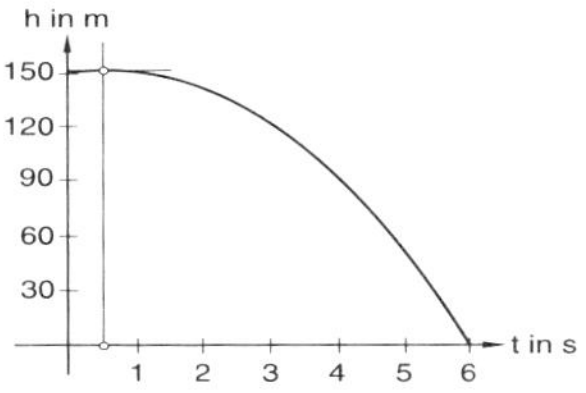

Aus Platzgründen wurde der im Buch angegebene Maßstab abgeändert!

Die maximale Höhe beträgt laut Schaubild etwa 151 m.

213. 2,67 Sekunden

214. **a)** a = 413,4 mm, $\alpha = 52{,}1°$, $\beta = 37{,}9°$ **b)** a = 3,22 cm, b = 6,55 cm, $\alpha = 63{,}8°$
c) b = 6,1 m, c = 8,3 m, $\beta = 47{,}4°$ **d)** c = 65 cm, $\alpha = 30{,}5°$, $\beta = 59{,}5°$

215. **a)** a = 25 cm, c = 11 cm **b)** $\beta = 67{,}38°$, $\gamma = 112{,}62°$, $\delta = 126{,}87°$
c) f = 20 cm **d)** A = 216 cm^2

216. **a)** L = 2046 mm **b)** L = 1773,4 mm

217. **a)** L = 364,3 cm **b)** L = 521,6 cm

218. **a)** x = 2,2 cm **b)** x = 4,1 cm

219. **a)** x = 19,4 km/h **b)** x = 17,6 km/h

220. **a)** $\beta = 28°$ **b)** $\beta = 50{,}9°$ **c)** 25,9 km/h

221. **a)** $\beta = 85{,}4°$ **b)** $\beta = 86{,}1°$

222. **a)** $\beta = 25{,}3°$ **b)** $\beta = 37{,}9°$

223. $F_H = 241{,}8$ N, $F_v = 397{,}5$ N

224. F = 367,2 N, $\phi_1 = 29{,}4°$, $\phi_2 = 60{,}6°$

225. **a)** $F_1 = 61{,}7$ N, $F_2 = 55{,}5$ N **b)** $F_1 = 280{,}7$ N, $F_2 = 204$ N

226. **a)** F = 391,3 N **b)** F = 397 N

227. F = 6691,2 N

228. **a)** $F_2 = 2294{,}7$ N **b)** $F_2 = 1439{,}7$ N

229. $\alpha = 42°$

230. **a)** $\alpha = 11{,}3°$ **b)** $\alpha = 16{,}7°$

231. $\beta = 39{,}1°$

232. —

233. **a)** 6,4 cm **b)** 3,5 cm **c)** 9,4 cm **d)** −3,4 cm
e) −7,6 cm **f)** 7,0 cm **g)** 7,0 cm **h)** −7,0 cm

234. **a)** > **b)** > **c)** = **d)** <
e) = **f)** < **g)** = **h)** >

235. **a)** I., II. **b)** I., IV. **c)** II., IV. **d)** III., IV.
e) II., III. **f)** I., III.

236. **a)** $\sin 25°$ **b)** $-\sin 1°$ **c)** $-\cos 25°$ **d)** $\cos 75°$
e) $-\sin 65°$ **f)** $-\tan 15°$ **g)** $\tan 85°$ **h)** $-\tan 54°$

237.

φ	$90° + \alpha$	$90° - \alpha$	$180° + \alpha$	$180° - \alpha$	$270° + \alpha$	$270° - \alpha$	$360° + \alpha$	$360° - \alpha$
$\sin\varphi$	$\cos\alpha$	$\cos\alpha$	$-\sin\alpha$	$\sin\alpha$	$-\cos\alpha$	$-\cos\alpha$	$\sin\alpha$	$-\sin\alpha$
$\cos\varphi$	$-\sin\alpha$	$\sin\alpha$	$-\cos\alpha$	$-\cos\alpha$	$\sin\alpha$	$-\sin\alpha$	$\cos\alpha$	$\cos\alpha$
$\tan\varphi$	$-\frac{1}{\tan\alpha}$	$\frac{1}{\tan\alpha}$	$\tan\alpha$	$-\tan\alpha$	$-\frac{1}{\tan\alpha}$	$\frac{1}{\tan\alpha}$	$\tan\alpha$	$-\tan\alpha$

238. a) 24,77°, 155,23° **b)** 118,50°, 241,50° **c)** 31,05°, 211,05°

239. a) 8,45°, 171,55° **b)** 21,19°, 338,81° **c)** 48,08°, 228,08°

240. a) 198,66°, 341,34° **b)** 116,94°, 243,06° **c)** 129,81°, 309,81°

241. a) 233,13°, 306,87° **b)** 57,85°, 302,15° **c)** 155,77°, 335,77°

242. a) keine Lösung **b)** 1,0378, 5,2454 **c)** 1,8569, 4,9985

243. a) 0,0625, 3,0791 **b)** 1,2639, 5,0193 **c)** 1,9233, 5,0649

244. a) 3,5341, 5,8907 **b)** keine Lösung **c)** 0,0927, 3,2343

245. a) 0,7938, 2,3478 **b)** 0,4275, 5,8557 **c)** 0,3083, 3,4499

246. a) $810{,}1\,\mathrm{cm}^2$ **b)** $157{,}8\,\mathrm{cm}^2$

247. a) $\frac{s}{\sin\epsilon} = \frac{t}{\sin\delta} = \frac{r}{\sin\phi}$

b) $r^2 = s^2 + t^2 - 2st\cos\phi$ $s^2 = t^2 + r^2 - 2tr\cos\epsilon$ $t^2 = r^2 + s^2 - 2rs\cos\delta$

248. b) $a^2 = h^2 + (c + x)^2 = h^2 + c^2 + 2cx + x^2$

$b^2 = h^2 + x^2$

$x^2 = b^2 - h^2$

$\cos(180° - \alpha) = \frac{x}{b}$

$x^2 = b\cos(180° - \alpha) = -b\cos\alpha$

$a^2 = h^2 + c^2 - 2bc\cos\alpha + b^2 - h^2$

$\underline{a^2 = b^2 + c^2 - 2bc\cos\alpha}$

249. a) Sinussatz **b)** Sinussatz **c)** Kosinussatz **d)** Sinussatz
e) Kosinussatz **f)** Kosinussatz **g)** Sinussatz **h)** Kosinussatz

250. a)

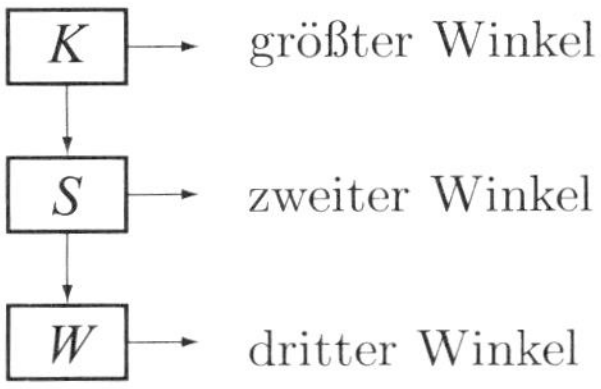

251. a), **c)** und **d)**

252. a), **e)** und **f)**

253. a) zwei Lösungen **b)** eine Lösung **c)** keine Lösung **d)** keine Lösung
e) zwei Lösungen **f)** eine Lösung **g)** eine Lösung **h)** keine Lösung

254.

	a	b	c	α	β	γ	A
a)	37	13	40	67,4°	18,9°	93,7°	240
b)	101	28,9	120	43,6°	11,4°	125,0°	1197,5
c)	145,5	40	175,5	36,9°	9,5°	136,6°	2107,5
d)	404	(1) 292,5 (2) 88,8	435	64,0°	(1) 40,6° (2) 11,4°	(1) 75,4° (2) 104,6°	(1) 57177,1 (2) 17358,4
e)	1601	90	1638	64,0°	2,9°	113,1°	66400
f)	404	116	480	43,6°	11,4°	125,0°	19200
g)	109,9	970	1032	5,2°	53,1°	121,7°	45350
h)	259,9	80,3	300	53,1°	14,3°	112,6°	9630

d) $a = 404;\ c = 435;\ \alpha = 64°$

$\sin\gamma = \frac{c}{a}\sin\alpha = \frac{435}{404}\cdot\sin 64° = 0{,}967761 \Rightarrow$ 2 Lösungen: $\gamma_1 = 75{,}4°,\ \gamma_2 = 104{,}6°$

$\beta = 180° - \alpha - \gamma \Rightarrow$ 2 Lösungen: $\beta_1 = 40{,}6°,\ \beta_2 = 11{,}4°$

$b = \frac{a\sin\beta}{\sin\alpha} \Rightarrow$ 2 Lösungen: $b_1 = 292{,}5,\ b_2 = 88{,}8$

$A = \frac{ab}{2}\sin\gamma \Rightarrow$ 2 Lösungen: $A_1 = 57177{,}1,\ A_2 = 17358{,}4$

255.

	a	b	c	α	β	γ	A
a)	36	25	29	83,3°	43,6°	53,1°	360
b)	78	34	88	61,9°	22,6°	95,5°	1320
c)	104	202	294	11,4°	22,6°	146,0°	5880
d)	325	85	400	25,1°	6,4°	148,5°	7200
e)	180	443,9	527,8	18,9°	53,2°	107,9°	38016
f)	116,1	208	276,2	22,6°	43,5°	113,9°	11040
g)	184,6	1625	1799,6	2,0°	18,0°	160,0°	51300
h)	650	7511,1	7736,9	4,6°	67,4°	108,0°	2321400

d) $b = 85;\ c = 400;\ A = 7200$

$\sin\alpha = \frac{2A}{bc} = \frac{2\cdot 7200}{85\cdot 400} = 0{,}423529$ $\alpha = 25{,}1°$

$a^2 = b^2 + c^2 - 2bc\cos\alpha = 85^2 + 400^2 - 2\cdot 85\cdot 400\cos 25{,}1° = 105646{,}3$ $a = 325$

$\sin\beta = \frac{b}{a}\sin\alpha = \frac{85}{325}\cdot\sin 25{,}1° = 0{,}110944$ $\beta = 6{,}4°$

$\gamma = 180° - \alpha - \beta = 180° - 25{,}1° - 6{,}4° = 148{,}5°$ $\gamma = 148{,}5°$

256.

	a	b	c	d	e	f	α	β	γ	δ	A
a)	77	40	38	25	51	74	73,7°	36,9°	143,1°	106,3°	1380
b)	80	50	24	34	50	70,7	61,9°	36,9°	143,1°	118,1°	1560
c)	182	50	51,2	115	163,5	87,3	22,3°	60,8°	119,2°	157,7°	5088,8
d)	50	37,6	30	42,3	62,1	48,5	62,7°	89,1°	90,9°	117,3°	1504,2
e)	192	53	51	100	149,64	100	16,3°	31,9°	148,1°	163,7°	3402
f)	69	29	33	25	52	57,6	53,1°	43,7°	136,3°	126,9°	1020
g)	155	(1) 69,71 (2) 60,41	112	(1) 78,74 (2) 67,27	(1) 164,47 (2) 155,46	136,85	61,9°	(1) 85,134° (2) 79,205°	(1) 94,866° (2) 100,795°	118,1°	(1) 9272,91 (2) 7921,89
h)	65,8	18,5	17,8	34,6	51,8	34,6	18°	35,3°	144,7°	162°	447,3

h) $d = 34{,}6;\ e = 51{,}8;\ f = 34{,}6;\ \delta = 162°$

$\alpha = 180° - \delta = 180° - 162° = 18°$ $\alpha = 18°$

Wir berechnen zunächst den Hilfswinkel γ_1 (vgl. Skizze).

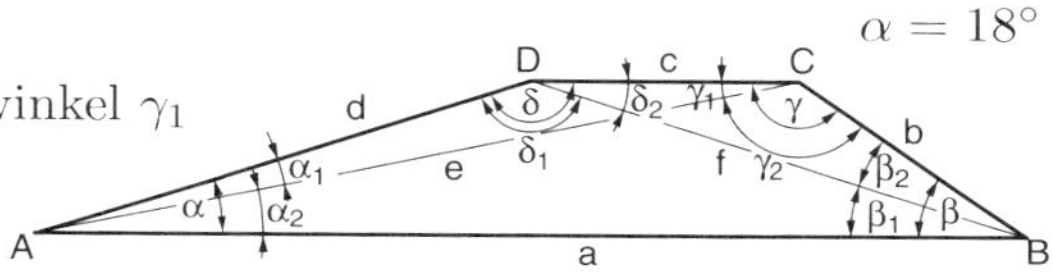

$\sin\gamma_1 = \frac{d}{e}\sin\delta = \frac{34{,}6}{51{,}8}\cdot\sin 162° = 0{,}2064$ $\gamma_1 = 11{,}9°$

$\alpha_1 = 180° - \delta - \gamma_1 = 180° - 162° - 11{,}9° = 6{,}1°$ $\alpha_1 = 6{,}1°$

$\alpha_2 = \alpha - \alpha_1 = 18° - 6{,}1° = 11{,}9°$ $\alpha_2 = 11{,}9°$

$c = e\frac{\sin\alpha_1}{\sin\delta} = 51{,}8\cdot\frac{\sin 6{,}1°}{\sin 162°} = 17{,}8$ $c = 17{,}8$

$\sin\beta_1 = \frac{d}{f}\sin\alpha = \frac{34{,}6}{34{,}6}\cdot\sin 18° = 0{,}3090$ $\beta_1 = 18°$

$\delta_1 = 180° - \alpha - \beta_1 = 180° - 18° = 144°$ $\delta_1 = 144°$

$a^2 = d^2 + f^2 - 2df\cos\delta_1 = 34{,}6^2 + 34{,}6^2 - 2\cdot 34{,}6^2\cos 144° = 4331{,}4$ $a = 65{,}8$

$b^2 = a^2 + e^2 - 2ae\cos\alpha_2 = 65{,}8^2 + 51{,}8^2 - 2\cdot 65{,}8\cdot 51{,}8\cos 11{,}9° =$
$= 342{,}5$ $b = 18{,}5$

$\sin\beta = \frac{e}{b}\sin\alpha_2 = \frac{51{,}8}{18{,}5}\cdot\sin 11{,}9° = 0{,}5774$ $\beta = 35{,}3°$

$\gamma = 180° - \beta = 180° - 35{,}3° = 144{,}7°$ $\gamma = 144{,}7°$

$h = d\sin\alpha = 34{,}6\sin 18° = 10{,}7$ $h = 10{,}7$

$A = \frac{a+c}{2}h = \frac{65{,}8+17{,}8}{2}\cdot 10{,}7 = 447{,}3$ $A = 447{,}3$

257. a) $s_2 = 429{,}9\,\text{m},\ s_3 = 382{,}5\,\text{m}$ **b)** $s_2 = 587{,}8\,\text{m},\ s_3 = 402{,}7\,\text{m}$

258. a) $s_a = 45{,}1\,\text{mm},\ s_b = 38{,}8\,\text{mm},\ s_c = 22{,}8\,\text{mm}$

b) $s_a = 24{,}4\,\text{mm},\ s_b = 5{,}2\,\text{mm},\ s_c = 20{,}8\,\text{mm}$

259. $u = 240{,}4\,\text{cm},\ e = 106\,\text{cm},\ f = 90{,}6\,\text{cm}$

260. $u = 21{,}7\,\text{cm},\ A = 20{,}6\,\text{cm}^2$

261. —

262. **a)** $A = 0{,}24\,\text{cm}^2$ **b)** $A = 2{,}4\,\text{cm}^2$

263. $\rho = 100{,}1°$

264. **a)** $-\sin\alpha$ **b)** $\cos\alpha$ **c)** $-\tan\alpha$ **d)** ungerade
e) gibt es **f)** ungerade **g)** gerade **h)** ungerade

265. —

266. **a)** wahr **b)** wahr **c)** wahr **d)** wahr
e) wahr **f)** falsch **g)** falsch **h)** wahr

267. **a)** wachsend, fallend **b)** fallend, wachsend **c)** wachsend
d) wachsend **e)** fallend **f)** wachsend
g) mindestens **h)** jede konstante Funktion

268. —

269. —

270. —

271. **a)** 0,326, 2,816 **b)** 4,712 **c)** 1,571 **d)** 2,595, 5,736

272. **a)** 1,571, 4,712 **b)** 3,142 **c)** 1,245, 5,038 **d)** 2,118, 4,166

273. **a)** 0, 3,142 **b)** 2,356, 5,498 **c)** 0,785, 3,927 **d)** 0,310, 3,451

274. —

275. —

276. **a)** $\cos\alpha = \frac{3}{5}, \tan\alpha = \frac{4}{3}$

b) $\sin\alpha = \sqrt{1-\cos^2\alpha} = \sqrt{1-\left(\frac{63}{65}\right)^2} = \sqrt{\frac{256}{4225}} = \frac{16}{65}$ $\underline{\sin\alpha = \frac{16}{65}}$

$\tan\alpha = \frac{\sin\alpha}{\cos\alpha} = -\frac{16\cdot 65}{65\cdot 63} = -\frac{16}{63}$ $\underline{\tan\alpha = -\frac{16}{63}}$

277. **a)** $\sin\alpha = -\frac{\sqrt{21}}{5}$, $\tan\alpha = \frac{\sqrt{21}}{2}$ **b)** $\sin\alpha = \frac{40}{41}$, $\cos\alpha = -\frac{9}{41}$

278. **a)** $\sin\alpha = \frac{3}{5}$, $\cos\alpha = \frac{4}{5}$ **b)** $\cos\alpha = -\frac{8}{17}$, $\tan\alpha = -\frac{15}{8}$

279. **a)** $\cos\alpha = \frac{9}{41}$, $\tan\alpha = -\frac{40}{9}$ **b)** $\sin\alpha = -\frac{84}{85}$, $\tan\alpha = -\frac{84}{13}$

280. **a)** $\sin\alpha = -\frac{4}{5}$, $\tan\alpha = -\frac{4}{3}$ **b)** $\sin\alpha = -\frac{12}{13}$, $\cos\alpha = \frac{5}{13}$

281. **a)** $\sin\alpha = \frac{\sqrt{42}}{7}$, $\cos\alpha = -\frac{\sqrt{7}}{7}$ **b)** $\cos\alpha = -\frac{\sqrt{2}}{2}$, $\tan\alpha = -1$

282. **a)** $\cos\alpha = -0{,}259, \tan\alpha = 3{,}732$ **b)** $\sin\alpha = 0{,}588, \tan\alpha = 0{,}727$

283. **a)** $\sin\alpha = 0{,}309, \tan\alpha = 0{,}106$ **b)** $\sin\alpha = \sqrt{\frac{n-1}{n+2}}, \cos\alpha = \sqrt{\frac{3}{n+2}}$

284. **a)** $\cos\alpha$ **b)** $\sin\alpha$ **c)** 1

285. **a)** $\frac{1}{\sin\alpha}$ **b)** $\cos\alpha$ **c)** $\tan^2\alpha$

286. **a)** $\tan\alpha$ **b)** $\cos^3\alpha$ **c)** $\sin^3\alpha$

287. **a)** $1+\cos\alpha$ **b)** $1-\sin\alpha$ **c)** $\frac{1}{\tan^2\alpha}$

288. a) 1 **b)** 1

289. a) 5 **b)** 1

290. a) $\frac{2}{\sin\alpha}$ **b)** $\cos\alpha + \sin\alpha$

291. a) $\tan\alpha$ **b)** $\frac{1-\sin\alpha}{\cos\alpha}$ **c)** 1

292. a) $\tan\alpha$ **b)** $\sin \mathrm{x} + \cos \mathrm{x}$ **c)** 1

293. a) 0 **b)** 0

294. a) 1 **b)** 2

295. 0

296. —

297. —

298. a) $\tan(\alpha+\beta) = \frac{\sin(\alpha+\beta)}{\cos(\alpha+\beta)} = \frac{\sin\alpha\cos\beta+\cos\alpha\sin\beta}{\cos\alpha\cos\beta-\sin\alpha\sin\beta} \quad | \cdot \frac{\cos\beta\cos\alpha}{\cos\beta\cos\alpha}$

$\underline{\tan(\alpha+\beta) = \frac{\tan\alpha+\tan\beta}{1-\tan\alpha\tan\beta}}$

299. a) $\cos\alpha$ **b)** $-\sqrt{3\sin\alpha}$

300. a) $-\sqrt{3\sin\alpha}$ **b)** 0

301. a) $\cos\alpha$ **b)** $\cos \mathrm{y}$

302. a) $\sin\alpha$ **b)** $\sin \mathrm{x}$

303. a) 1 **b)** 1

304. a) 1 **b)** 1

305. a) wahr **b)** wahr **c)** wahr **d)** wahr

e) $1 = \sin^2 \mathrm{x} + \cos^2 \mathrm{x} = \underline{\cos^2\frac{\alpha}{2} + \sin^2\frac{\alpha}{2}}$: <u>wahr</u> **f)** wahr

g) $|\cos\frac{\alpha}{2}| = \sqrt{\frac{1+\cos\alpha}{2}}$

$2\cos^2\frac{\alpha}{2} = 1 + \cos\alpha$

$2\cos^2\frac{\alpha}{2} = \sin^2\frac{\alpha}{2} + \cos^2\frac{\alpha}{2} + \cos\alpha$

$2\cos^2\frac{\alpha}{2} - \cos^2\frac{\alpha}{2} - \sin^2\frac{\alpha}{2} = \cos\alpha$

$\cos^2\frac{\alpha}{2} - \sin^2\frac{\alpha}{2} = \cos\alpha \qquad |\alpha = 2\delta$

$\cos^2\delta - \sin^2\delta = \cos 2\delta$

$|\cos\frac{\alpha}{2}| = \sqrt{\frac{1+\cos\alpha}{2}}$: <u>wahr</u>

h) $|\tan\frac{\alpha}{2}| = \sqrt{\frac{1-\cos\alpha}{1+\cos\alpha}} \qquad | \quad \alpha = 2\delta$

$\tan^2\delta = \frac{1-\cos 2\delta}{1+\cos 2\delta}$

$\tan^2\delta = \frac{1-\cos^2\delta+\sin^2\delta}{1+\cos^2\delta-\sin^2\delta} \qquad | \quad 1-\cos^2\delta = \sin^2\delta, 1-\sin^2\delta = \cos^2\delta$

$\tan^2\delta = \frac{2\sin^2\delta}{2\cos^2\delta}$

$|\tan\frac{\alpha}{2}| = \sqrt{\frac{1-\cos\alpha}{1+\cos\alpha}}$ <u>wahr</u>

306. a) $\sin 2\alpha = 0{,}96$ **b)** $\cos 2\alpha = -0{,}28$ **c)** $\tan 2\alpha = -\frac{72}{21}$

d) $\sin 2\beta = -\frac{840}{841}$ **e)** $\cos 2\beta = -\frac{41}{841}$ **f)** $\tan 2\beta = \frac{840}{41}$

g) $\sin 2\gamma = -0{,}77$ **h)** $\cos 2\gamma = 0{,}64$ **i)** $\tan 2\gamma = -1{,}197$

307. a) $\sin 2\alpha = -\ 0{,}96$ **b)** $\cos 2\alpha = -0{,}28$ **c)** $\tan 2\alpha = \frac{72}{21}$

d) $\sin 2\beta = -\frac{840}{841}$ **e)** $\cos 2\beta = -\frac{41}{841}$ **f)** $\tan 2\beta = \frac{840}{41}$

g) $\sin 2\gamma = -0{,}77$ **h)** $\cos 2\gamma = 0{,}64$ **i)** $\tan 2\gamma = 1{,}197$

308. $x = 157{,}2$ ft

309. a) 1 **b)** 0

310. a) 0 **b)** 0

311. a) $\frac{1}{\cos x}$ **b)** $\cos x$

312. a) $\sin y$ **b)** $\tan x$

313. —

314. —

315. —

316. a) $\sqrt{3}\ \sin x$ **b)** $\sqrt{2}\ \cos x$

317. a) $\cos x$ **b)** $-\sqrt{2}\ \sin x$

318. a) $\sqrt{2}\ \sin \alpha$ **b)** $-\sin \alpha$

319. a) $2 \sin \alpha \cos \beta$ **b)** $2 \cos \alpha \cos \beta$

320. a) $\tan\ \frac{x+y}{2}$ **b)** $-\tan\ \frac{x+y}{2}$

321. a) $\frac{1}{\tan\ \frac{x-y}{2}}$ **b)** $\tan\ \frac{x-y}{2}$

322. a) $-\frac{1}{\tan y}$ **b)** $\sqrt{3}$

323. —

324. a) $2 \sin^2(\frac{x}{2} + \frac{\pi}{4}) = 1 + \sin x$

$$\sin(\frac{x}{2} + \frac{\pi}{4}) = \sqrt{\frac{1+\sin x}{2}}$$

$$\sin \frac{x}{2}\ \cos \frac{\pi}{4} + \cos \frac{x}{2}\ \sin \frac{\pi}{4} = \sqrt{\frac{1+\sin x}{2}}$$

$$\frac{1}{\sqrt{2}}(\sin \frac{x}{2} + \cos \frac{x}{2}) = \sqrt{\frac{1+\sin x}{2}}$$

$$\frac{1}{2}(\sin^2 \frac{x}{2} + 2 \sin \frac{x}{2} \cos \frac{x}{2} + \cos^2 \frac{x}{2}) = \frac{1+\sin x}{2}$$

$$2 \sin \frac{x}{2} \cos \frac{x}{2} = \sin x \quad | x = 2y$$

$$\underline{2 \sin y \cos y = \sin 2y}$$

325. —

326. —

327. —

328. —

329. —

330. —

331. —

332. **a)** Um $2\sin 3x \cdot \cos x$ in eine Summe umzuformen verwenden wir die Gleichungen:
$\sin 4x = \sin(3x + x) = \sin 3x \cos x + \cos 3x \sin x$ und
$\sin 2x = \sin(3x - x) = \sin 3x \cos x - \cos 3x \sin x$
Durch Addition dieser Gleichungen erhalten wir $\underline{2\sin 3x \cdot \cos x = \sin 4x + \sin 2x}$

b) $\sin 7x + \sin x$ **c)** $\frac{1}{2}\sin(a+b)x + \sin(a-b)x$

333. **a)** $\frac{1}{2}\sin(5-2n)x + \sin x$ **b)** $\sin 4x + \sin 2nx$

334. **a)** die selbe **b)** die Wertemenge **c)** 1 **d)** a für $a > 0$ bzw. $-a$ für $a < 0$

e) $[-1, 1]$, $[-3, 3]$, $[-a, a]$ **f)** $y = 2\cos x$ **g)** $y = \frac{1}{20}\sin x$ **h)** $y = -20\sin x$

335. —

336. **f)** eine Verschiebung in x-Richtung um c Einheiten nach links

337. —

338. **a)** die selbe **b)** y-Achse **c)** $x \mapsto \sin x$ und $x \mapsto \sin x + 99$ **d)** $y = \cos x - 3$

e) $y = \cos(x+3)$ **f)** $y = 3\sin x + 12$ **g)** $y = \frac{1}{2}\sin(x-4) - \frac{3}{2}$ **h)** $\frac{\pi}{2}$

339. —

340. —

341. —

342. —

343. —

344. **a)** $y = -\sin x$ **b)** $y = -\cos x$

345. **a)** $y = 2\sin 2x$ **b)** $y = \sin^2 x$

346. **a)** $y = \frac{3}{2}\sin\left(\frac{x}{2} + \frac{\pi}{6}\right)$ **b)** $y = \sin\left(x - \frac{\pi}{3}\right)$

347. **a)** $y = 2\sin 3x - 4$ **b)** $y = 3\cos\left(\frac{x}{3} - \frac{\pi}{10}\right) + 2$

348. **a)** $y = \tan\left(2x + \frac{\pi}{4}\right)$ **b)** $y = -2\tan\left(x + \frac{\pi}{2}\right)$

349. b)

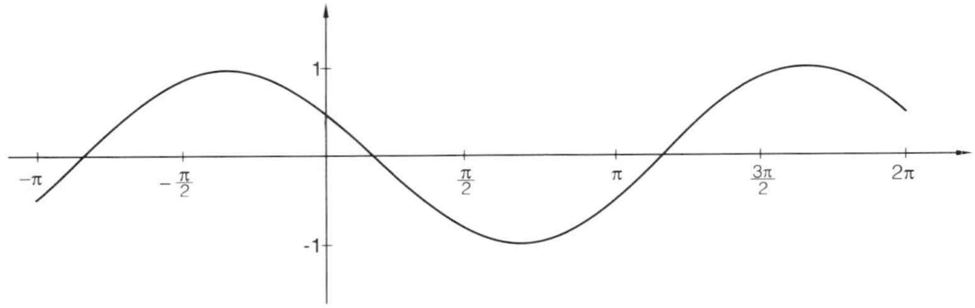

350. —

351. —

352. —

353. a) $y = 4{,}36 \sin(x{+}0{,}409)$ **b)** $y = 3{,}68 \sin(x{-}0{,}285)$

354. a) $\sin x + \frac{1}{2} \cos x$

$\cos x = \sin(x + \frac{\pi}{2})$ $\sin x + \frac{1}{2}(x + \frac{\pi}{2})$

$a_1 = 1;\ a_2 = \frac{1}{2};\ \phi = \frac{\pi}{2}$

$a = \sqrt{a_1^2 + a_2^2 + 2a_1a_2 \cos\phi} = \sqrt{1 + \frac{1}{4} + \cos\frac{\pi}{2}} = \frac{\sqrt{5}}{2}$

$\tan\varepsilon = \frac{a_2 \sin\phi}{a_1 + a_2 \cos\phi} = \frac{\frac{1}{2}\sin\frac{\pi}{2}}{1 + \frac{1}{2}\cos\frac{\pi}{2}} = \frac{1}{2}$ $\varepsilon = 0{,}464$

$y = a \sin(x + \varepsilon)$

$\underline{y = \frac{\sqrt{5}}{2} \sin(x + 0{,}464)}$

b) $y = 3{,}606 \sin(x{+}\ 0{,}588)$

355. a) $0{,}5 \sin(x - \frac{\pi}{3}) + 2\sin(x + \frac{\pi}{6}) =$

$= 0{,}5\ (\sin x \cos\frac{\pi}{3} - \cos x \sin\frac{\pi}{3}) + 2\,(\sin x \cos\frac{\pi}{6} + \cos x \sin\frac{\pi}{6}) =$

$= 0{,}5\ (0{,}5 \sin x {-} 0{,}866 \cos x) + 2\ (0{,}886 \sin x + 0{,}5 \cos) =$

$= 1{,}982 \sin x {+}\ 0{,}567 \cos x = 1{,}982 \sin x {+}\ 0{,}567 \sin(x + \frac{\pi}{2})$

$a_1 = 1{,}982;\ a_2 = 0{,}567;\ \phi = \frac{\pi}{2}$

$a = \sqrt{a_1^2 + a_2^2 + 2a_1a_2 \cos\phi} = \sqrt{3{,}928 + 0{,}321 + 2{,}248 \cos\frac{\pi}{2}} = 2{,}062$

$\tan\varepsilon = \frac{a_2 \sin\phi}{a_1 + a_2 \cos\phi} = \frac{0{,}567 \sin\frac{\pi}{2}}{1{,}982 + 0{,}567 \cos\frac{\pi}{2}} = \frac{0{,}567}{1{,}982} = 0{,}286$ $\varepsilon = 0{,}279$

$y = a \sin(x + \varepsilon)$

$\underline{y = 2{,}062 \sin(x + 0{,}279)}$

b) $y = 19{,}987 \sin(x{-}\ 1{,}528)$

356. a) $y = 3{,}336 \sin(x - 0{,}466)$ **b)** $y = 19{,}9 \sin(2x + 0{,}151)$

357. a) $\sin 2x = 0{,}81$

$2x_1 = 0{,}9442 \qquad 2x_1 = 2{,}1974$

$x_1 = 0{,}4721 \qquad x_2 = 1{,}0987 \qquad$ Periode: $p = \frac{2\pi}{2} = \pi$

$\underline{\mathbf{L = \{x \mid x = 0{,}472 + k\pi \vee x = 1{,}099 + k\pi,\ k \in \mathbb{Z}\}}}$

b) $\{x \mid x = 0{,}379 + \frac{2k\pi}{3} \vee x = 1{,}716 + \frac{2k\pi}{3}, k \in \mathbb{Z}\}$

c) $\{x \mid x = 1{,}342 + 2k\pi \vee x = 8{,}970 + 2k\pi, k \in \mathbb{Z}\}$

358. a) $\{\}$

b) $\{x \mid x = 0{,}339 + \frac{2k\pi}{2{,}26} \vee x = 2{,}441 + \frac{2k\pi}{2{,}26}, k \in \mathbb{Z}\}$

c) $\{t \mid t = 0{,}225 + \frac{2k\pi}{3} \vee t = 1{,}869 + \frac{2k\pi}{3}, k \in \mathbb{Z}\}$

359. a) $\{0,\ 2\pi\}$ **b)** $\{\frac{\pi}{2{,}4}, \frac{\pi}{0{,}8}\}$ **c)** $\{0, \frac{\pi}{2}, \pi, \frac{3\pi}{x}, 2\pi\}$

360. a) $\{\frac{\pi}{6} + \frac{8}{15}, \frac{\pi}{2} + \frac{8}{15}, \frac{5\pi}{6} + \frac{8}{15}, \frac{7\pi}{6} + \frac{8}{15}, \frac{3\pi}{2} + \frac{8}{15}\}$

b) $\{3\pi - 3{,}3\}$

361. a) $\{0, \frac{\pi}{3}, \frac{\pi}{2}, \frac{2\pi}{3}, \pi, \frac{4\pi}{3}, \frac{3\pi}{2}, \frac{5\pi}{3}, 2\pi\}$ **b)** $\{\frac{3\pi}{8}, \frac{7\pi}{8}, \frac{11\pi}{8}, \frac{15\pi}{8}\}$

362. a) $\{0°, 70{,}5°, 180°, 289{,}5°\}$ **b)** $\{9{,}6°, 90°, 170{,}0°, 270°\}$

c) $\{0°, 45°, 135°, 180°, 225°, 315°\}$

363. a) $\{0°, 60°, 180°, 300°\}$ **b)** $\{45°, 135°, 225°, 315°\}$

c) $\{48{,}6°, 90°, 131{,}4°, 228{,}6°, 270°, 311{,}4°\}$

364. a) $\{116, 6°, 153{,}4°, 296{,}6°, 333{,}4°\}$ **b)** $\{45°, 225°\}$

365. a) $\{30°, 150°, 210°, 330°\}$ **b)** $\{0°, 90°, 180°, 270°\}$

366. a) $\{30°, 150°, 270°\}$ **b)** $\{54°, 126°, 198°, 342°\}$

367. a) $\{45°, 135°, 225°, 315°\}$ **b)** $\{90°, 270°\}$

368. a) $\{16, 26°, 90°\}$ **b)** $\{82, 1°, 210{,}5°\}$

369. a) $\{0°, 180°\}$ **b)** $\{0°, 90°, 180°\}$

370. a) $\{45°, 180°, 225°\}$ **b)** $\{0°, 45°, 225°\}$

371. a) $\{63, 5°, 108{,}4°, 243{,}4°, 288{,}4°\}$ **b)** $\{15°, 75°, 135°, 195°, 255°, 315°\}$

372. a) $[0°, 360°[$ **b)** $\{35, 26°, 144{,}74°, 215{,}26°, 324{,}74°\}$

373. a) $\{0°, 38{,}7°, 180°, 321{,}3°\}$ **b)** $\{106, 3°, 253{,}7°\}$

374. a) $\{0°,\ 60°,\ 120°,\ 180°, 240°,\ 300°\}$

b)
$$\cos x + \cos 2x + \cos 4x + \cos 5x = 0$$
$$(\cos x + \cos 5x) + (\cos 2x + \cos 4x) = 0$$
$$2\cos 3x \cos(-2x) + 2\cos 3x \cos(-x) = 0$$
$$2\cos 3x(\cos 2x + \cos x) = 0$$

$$2\cos 3x = 0$$
$$\cos 3x = 0$$
$$3x = 90, \ldots$$
$$x_1 = 30°$$
$$x_2 = 90°$$
$$x_3 = 150°$$
$$x_4 = 210°$$
$$x_5 = 270°$$
$$x_6 = 330°$$

$$\cos 2x + \cos x = 0$$
$$\cos^2 x - \sin^2 x + \cos x = 0$$
$$\cos^2 x - 1 + \cos^2 x + \cos x = 0$$
$$2\cos^2 x + \cos x - 1 = 0$$
$$\cos^2 x + \tfrac{1}{2}\cos x - \tfrac{1}{2} = 0$$
$$(\cos x)_{7,8} = -\tfrac{1}{4} \pm \sqrt{\tfrac{1}{16} + \tfrac{8}{16}}$$
$$(\cos x)_{7,8} = -\tfrac{1}{4} \pm \tfrac{3}{4}$$
$$(\cos x)_7 = 0{,}5$$
$$x_{71} = 60° \quad x_{72} = 300°$$
$$(\cos x)_8 = -1$$
$$x_8 = 180°$$

$L = \{30°,\ 60°,\ 90°,\ 150°,\ 180°,\ 210°,\ 270°,\ 300°,\ 330°\}$

375. a) $\{0°,\ 36°, 90°,\ 108°,\ 180°,\ 252°,\ 270°,\ 324°\}$ **b)** $\{0°,\ 72°, 114°,\ 180°,\ 216°,\ 288°\}$

376. 47,87°, 42,13°

377. 215,2 mm

378. 141,7 mm

379. 8,2 %

380. 70,2°

381. 2,5 km, 90°

382. a) 10,6° **b)** 12,1°

383. a) 28,7 m **b)** 41,4° **c)** 33 m, 45,4° **d)** Nein.

384. 198,61 mm, 83,94 mm

385. $s = \frac{3h}{8}\sqrt{3}$, $t = \frac{h}{2}\sqrt{3}$

386. $s = 0{,}72h$, $t = 0{,}96h$

387. 2,07°

388. $\alpha = \arctan\mu$

389. 92,05 N, 39,07 N, 73,64 N

390. (3)

391. 10,04 mm

392. 3,45 mm

393. 0°, 22,02°, 32,03°, 40,51°, 48,59°

394. a) $\frac{\sin\alpha_1}{\sin\beta_1} = \mathrm{n}$

$\sin\beta_1 = \frac{\sin\alpha_1}{\mathrm{n}}$

$\sin\beta_1 = \frac{\sin 53^\circ}{1{,}5} = 0{,}532$

$\beta_1 = 32{,}17^\circ$

$180^\circ = (90^\circ - \beta_1) + \phi + (90^\circ - \beta_2)$

$180^\circ = 180^\circ + \phi - \beta_1 - \beta_2$

$\beta_2 = \phi - \beta_1$

$\beta_2 = 60^\circ - 32{,}17^\circ$

$\beta_2 = 27{,}83^\circ$

$\frac{\sin\alpha_2}{\sin\beta_2} = \mathrm{n}$

$\sin\alpha_2 = \mathrm{n}\sin\beta_2 = 1{,}5\sin 27{,}83^\circ = 0{,}700$

$\underline{\alpha_2 = 44{,}45^\circ}$ **Der Austrittswinkel beträgt 44,45°**.

b) 50,22°

395. a) 238,26 t **b)** 123,87° **c)** 248,81 m^2

396. a) 30,43° **b)** 31,86°

397. 2,68 mm

398. 32,56 mm, 45,59 mm

399. 81,65°, 106,7°

400. $\mathrm{x} = \frac{\mathrm{d}_2 - \mathrm{d}_1}{2\sin\frac{\alpha}{2}}$

401. $\mathrm{x} \geqslant 35{,}36$ mm

402. 511,02 m

403. F = 207,9 N, $\mathrm{F_h} = 103{,}9$ N, $\mathrm{F_v} = 180$ N

404. 44,41°

405. $\cos\alpha = \frac{\mathrm{s}_1}{\frac{1}{2}}$

$\mathrm{s}_1 = \frac{1}{2}\cos\alpha$

$\sin\alpha = \frac{\mathrm{s}_2}{\mathrm{d}}$

$\sin_2 = \mathrm{d}\sin\alpha$

$\mathrm{m_L g s_1} = \mathrm{m_B g s_2}$

$\mathrm{m_L} \cdot \frac{1}{2}\cos\alpha = \mathrm{m_B d}\sin\alpha$

$\mathrm{m_L} \cdot 25 = 4 \cdot 3 \cdot \frac{\sin\alpha}{\cos\alpha}$

$\mathrm{m_L} = \frac{12}{25}\tan 7^\circ$

$\underline{\mathrm{m_L} = 58{,}9 \cdot 10^{-3}}$ **Die Masse des Waagebalkens beträgt 58,9 g.**

406. 8,53°

407. 812,5 Liter

408. Ölquerschnitt: A
Restvolumen: V

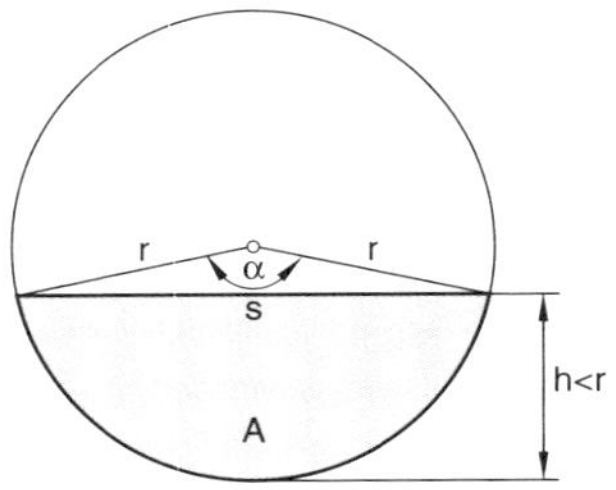

$\cos\frac{\alpha}{2} = \frac{r-h}{r} = \frac{0{,}45-0{,}3}{0{,}45} = 0{,}3$

$\frac{\alpha}{2} = 70{,}53° \Leftrightarrow \alpha = 141{,}06°$

$r^2 = (\frac{s}{2})^2 + (r-h)^2$

$\frac{s}{2} = \sqrt{r^2-(r-h)^2} = \sqrt{r^2-r^2+2hr-h^2}$

$s = 2\sqrt{h(2r-h)} = 2\sqrt{0{,}3(0{,}9-0{,}3)} = 0{,}848528$

$A = \frac{\pi r^2\alpha}{360°} - \frac{s(r-h)}{2} = \frac{\pi\cdot 0{,}45^2\cdot 141{,}06°}{360°} - \frac{0{,}848528(0{,}45-0{,}3)}{2} = 0{,}185634$

$V = \pi r^2 l - Al = l(\pi r^2 - A) = 2{,}7(\pi\cdot 0{,}45^2 - 0{,}185634) = 1216{,}45\cdot 10^{-3}$

Um den Tank zu füllen fehlen noch 1216,45 Liter Öl.

409. 10,06 dm^2

410. a) 3,15 m **b)** 2,58 m^2 **c)** 0,566 m **d)** 455 t

411. a) 92,48°, 135,95° **b)** 35 mm

c) 1137,5 mm^2 **d)** 2363,54 mm^2

412. 54,21 N, 44,68 N

413. 83,25 N, 56,38 N

414. a) 236,78 N, 106,25 N **b)** 116,99 N, 151,76 N

c) 201,2 N, 666,33 N

415. $F_0 = 0{,}655F$, 23,37°

416. a) 157,66°, 163,67°, 38,68° **b)** $\alpha = \beta = \gamma = 120°$

417. a) 67,61 cm **b)** 2422,1 cm^2 **c)** 2244,9 cm^2 **d)** 4667 cm^2

418. 9,87 m, 10,92 m, 21,03°

419. a) 36,94 m, 1021,7 m^2 **b)** 43,42 m, 222,54 m^2

c) $4{,}98\cdot 10^6$ Euro

420. a) $\beta = 90° - \alpha - \gamma$, $\rho = \arctan(\sqrt{2}\tan\alpha)$

b) 77°, 8,45°, 7,44°

421. —

422. $i_{ges} = 0$

423. $\sin\phi = \frac{H_1}{G}$ $\cos\phi = \frac{N_1}{G}$ $\cos\phi = \frac{H_2}{F}$ $\sin\phi = \frac{N_2}{F}$

$H_1 = G\sin\phi$ $N_1 = G\cos\phi$ $H_2 = F\cos\phi$ $N_2 = F\sin\phi$

$$R = \mu(N_1 + N_2) = \mu(G\cos\phi + F\sin\phi)$$
$$0 = H_1 - H_2 + R$$
$$0 = G\sin\phi - F\cos\phi + \mu(G\cos\phi + F\sin\phi)$$
$$0 = G\sin\phi - F\cos\phi + \mu G\cos\phi + \mu F\sin\phi$$
$$F(\cos\phi - \mu\sin\phi) = G(\sin\phi + \mu\cos\phi)$$
$$F = G\cdot\frac{\sin\phi+\mu\cos\phi}{\cos\phi-\mu\sin\phi} = G\cdot\frac{\tan\phi+\mu}{1-\mu\tan\phi} = G\cdot\frac{\tan\phi+\tan\rho}{1-\tan\rho\tan\phi}$$
$$\underline{F = G\tan(\phi+\rho)}$$

424. —

425. $\alpha_1 = 23{,}09°$, $\alpha_2 = 44{,}21°$, $F_1 = 93{,}72$ N, $F_2 = 52{,}72$ N bzw.
$\alpha_1 = -135{,}79°$, $\alpha_2 = 203{,}09°$, $F_1 = -52{,}72$ N, $F_2 = -93{,}72$ N

426. 253,4 m^2

427. 1,49 m, 2,5 m, 19,97°, 48,35°, 4,36 m, 54,13 m^2, 27,52 m^3

428. 742,45 m^2, 129 m, 895,56 m^2, 8073,36 m^3

429. **a)** 7,93 m **b)** 56,31°, 2,82 m, 5,33 m **c)** 5,45 m, 4,69 m
d) 36,98°, 67,86° **e)** 109,36 m^2 **f)** 94,66 m^3

430. 315

431. 7,43 m, 131,93 m^2

432. **a)** 7,85 m, 0,09° **b)** 31,4 m, 0,18°
c) 14,98 km **d)** 17,28 km **e)** 183,45 km

433. **a)** 150,423°, 83,349 m **b)** P_2 (208,517, 64,668)

434. **a)** 142,235°, 106,973°, 57,0298°, 163,32 m, 212,63 m, 123,19 m, 35,263°, 94,794°, 49,943°
b) 236,043°, 321,881°, P_3 (184,22, 42,51), 286,906°, 309,138°, 325,025°

435. **a)** $\Delta x_{12} = x_2 - x_1$ $\Delta y_{12} = y_2 - y_1$

$s_{12}^2 = (\Delta x_{12})^2 + (\Delta y_{12})^2$ $\alpha_0 + \alpha_1 + \alpha_2 = 180°$

$\underline{s_{12} = \sqrt{(\Delta x_{12})^2 + (\Delta y_{12})^2}}$ $\underline{\alpha_0 = 180° - \alpha_1 - \alpha_2}$

$\frac{s_{10}}{\sin\alpha_2} = \frac{s_{12}}{\sin\alpha_0}$ $\frac{s_{20}}{\sin\alpha_1} = \frac{s_{12}}{\sin\alpha_0}$

$\underline{s_{10} = s_{12}\cdot\frac{\sin\alpha_2}{\sin\alpha_0}}$ $\underline{s_{20} = s_{12}\cdot\frac{\sin\alpha_1}{\sin\alpha_0}}$

$\tan\upsilon_{12} = \frac{\Delta y_{12}}{\Delta x_{12}}$ $\alpha_1 = \upsilon_{12} - \upsilon_{10}$

$\upsilon_{12} = \arctan\frac{\Delta y_{12}}{\Delta x_{12}}$ $\upsilon_{10} = \upsilon_{12} - \alpha_1$

$\cos\upsilon_{10} = \frac{\Delta x_{10}}{s_{10}}$ $\sin\upsilon_{10} = \frac{\Delta y_{10}}{s_{10}}$

$x_0 - x_1 = s_{10}\cos\upsilon_{10}$ $y_0 - y_1 = s_{10}\sin\upsilon$

$x_0 = x_1 + s_{10}\cos\upsilon_{10}$ $y_0 = y_1 + s_{10}\sin\upsilon_{10} \Rightarrow \underline{P_0(x_0,y_0)}$

b) 116,120°, 76,64 m, 31,606°, 145,47 m, 116,06 m, 63,589°, 31,983°, P_0(106,87, 142,63)

436. **a)** $P_0(46{,}5,\ 30{,}71)$, $H_0(46{,}5,\ 30{,}71,\ 30{,}10)$

b) $P_0(17{,}43,\ 18{,}33)$, $H_0(17{,}43,\ 18{,}33,\ 31{,}43)$

437. 379,37 cm^2

438. 2296,2 kg

439. **a)** $2\psi = 180° - (90° - \alpha)$ $\qquad \tan\alpha = \frac{x}{d}$

$2\psi = 90° + \alpha$ $\qquad \underline{x = d\tan\alpha}$

$\underline{\psi = 45° + \frac{\alpha}{2}}$

$\tan\psi = \frac{x}{r}$ $\qquad \tan\tau = \frac{h_1}{d}$

$\underline{r = x\tan\psi}$ $\qquad \underline{h_1 = d\tan\tau}$

$\underline{h = h_1 + z_0}$

$\underline{V = \pi r^2 h}$ $\qquad \underline{M = 2\pi r h}$

b) 57,18°, 13,33 m, 20,67 m, 26,08 m, 27,68 m, 37174,7 m^3, 3596,11 m^2

440. **a)** 45°, 45°, 33,40°, 53,82°, 53,82°, 122,34°

b) 58,6°, 31,4°, 33,7°, 64,31°, 44,75°, 71,29°, 47,73°

441. **a)** 47,21°, 73,31°, 73,31°, 142,22°

b) $\sin(180° - \omega) = \frac{b_1}{x}$ $\qquad \sin(180° - \omega) = \frac{b_2}{y}$

$\sin\omega = \frac{b_1}{x}$ $\qquad \sin\omega = \frac{b_2}{y}$ $\qquad \Rightarrow \frac{b_1}{x} = \frac{b_2}{y} \Leftrightarrow \frac{b_1}{b_2} = \frac{x}{y}$

$x = \frac{b_1}{\sin\omega}$ $\qquad y = \frac{b_2}{\sin\omega}$

$\tan\alpha_1 = \frac{h}{b_1}$ $\qquad \tan\alpha_2 = \frac{h}{b_2}$

$b_1 = \frac{h}{\tan\alpha_1}$ $\qquad b_2 = \frac{h}{\tan\alpha_2}$ $\qquad \Rightarrow \frac{x}{y} = \frac{b_1}{b_2} = \frac{\frac{h}{\tan\alpha_1}}{\frac{h}{\tan\alpha_2}} = \frac{\tan\alpha_2}{\tan\alpha_1}$

$$g'^2 = x^2 + y^2 - 2xy\cos(180° - \omega) = x^2 + y^2 + 2xy\cos\omega$$

$$\frac{g'}{(\sin 180° - \omega)} = \frac{x}{\sin\gamma_1}$$

$$\sin\gamma_1 = \frac{x\sin\omega}{g'} = \frac{x\sin\omega}{\sqrt{x^2+y^2+2xy\cos\omega}} = \frac{\sin\omega}{\sqrt{1+\frac{y^2}{x^2}+\frac{2y}{x}\cos\omega}} =$$

$$= \frac{\sin\omega}{\sqrt{1+\frac{\tan^2\alpha_1}{\tan^2\alpha_2}+\frac{2\tan\alpha_1}{\tan\alpha_2}\cos\omega}} = \frac{\sin\omega\tan\alpha_2}{\sqrt{\tan^2\alpha_2+\tan^2\alpha_1+2\tan\alpha_1\tan\alpha_2\cos\omega}} =$$

$$= \frac{\sin 100°\tan 40°}{\sqrt{\tan^2 40°+\tan^2 55°+2\tan 55°\tan 40°\cos 100°}} = 0{,}542 \Rightarrow \underline{\gamma_1 = 32{,}8°}$$

$\gamma_1 + \gamma_2 = \omega$ $\qquad \tan\alpha_1 = \frac{h}{b_1}$

$\gamma_2 = \omega - \gamma_1 = 100° - 32{,}8°$ $\qquad h = b_1\tan\alpha_1$

$\underline{\gamma_2 = 67{,}2°}$

$$\tan\beta = \frac{h}{g'} = \frac{b_1\tan\alpha_1}{\sqrt{x^2+y^2+2xy\cos\omega}} = \frac{x\sin\omega\tan\alpha_1}{\sqrt{x^2+y^2+2xy\cos\omega}} = \frac{\frac{x}{y}\sin\omega\tan\alpha_1}{\sqrt{\frac{x^2}{y^2}+1+\frac{2x}{y}\cos\omega}} =$$

$$= \frac{\frac{\tan\alpha_2}{\tan\alpha_1}\sin\omega\tan\alpha_2}{\sqrt{\frac{\tan^2\alpha_2}{\tan^2\alpha_1}+1+\frac{2\tan\alpha_2}{\tan\alpha_1}\cos\omega}} = \frac{\tan\alpha_2\tan\alpha_1\sin\omega}{\sqrt{\tan^2\alpha_2+\tan^2\alpha_1+2\tan\alpha_2\tan\alpha_1\cos\omega}} =$$

$$= \frac{\tan 40°\tan 55°\sin 100°}{\sqrt{\tan^2 40°+\tan^2 55°+2\tan 40°\tan 55°\cos 100°}} = 0{,}774 \Rightarrow \underline{\beta = 37{,}72°}$$

$\cos\alpha_1 = \frac{b_1}{l_1}$

$l_1 = \frac{b_1}{\cos\alpha_1}$

$\tan\gamma_1 = \frac{b_1}{e_2}$

$e_2 = \frac{b_1}{\tan\gamma_1}$

$\tan\phi_1 = \frac{l_1}{e_2} = \frac{\frac{b_1}{\cos\alpha_1}}{\frac{b_1}{\tan\gamma_1}} = \frac{\tan\gamma_1}{\cos\alpha_1} =$

$= \frac{\tan 32{,}8^\circ}{\cos 55^\circ} = 1,12$

$\underline{\phi_1 = 48{,}33^\circ}$

$\cos\alpha_2 = \frac{b_2}{l_2}$

$l_2 = \frac{b_2}{\cos\alpha_2}$

$\tan\gamma_2 = \frac{b_2}{e_1}$

$e_1 = \frac{b_2}{\tan\gamma_2}$

$\tan\phi_2 = \frac{l_2}{e_1} = \frac{\frac{b_2}{\cos\alpha_2}}{\frac{b_2}{\tan\gamma_2}} = \frac{\tan\gamma_2}{\cos\alpha_2} =$

$= \frac{\tan 67{,}2^\circ}{\cos 40^\circ} = 3,11$

$\underline{\phi_2 = 72{,}15^\circ}$

$\sin\beta = \frac{\overline{NX}}{g'}$

$\overline{NX} = g'\sin\beta$

$\tan\gamma_1 = \frac{p}{g'}$

$p = g'\tan\gamma_1$

$\tan\psi_1 = \frac{p}{\overline{NX}} = \frac{g'\tan\gamma_1}{g'\sin\beta} = \frac{\tan\gamma_1}{\sin\beta} =$

$= \frac{\tan 32{,}8^\circ}{\sin 37{,}72^\circ} = 1,05$

$\underline{\psi_1 = 46{,}48^\circ}$

$\tan\gamma_2 = \frac{q}{g'}$

$q = g'\tan\gamma_2$

$\tan\psi_2 = \frac{q}{\overline{NX}} = \frac{g'\tan\gamma_2}{g'\sin\beta} = \frac{\tan\gamma_2}{\sin\beta} =$

$= \frac{\tan 67{,}2^\circ}{\sin 37{,}72^\circ} = 3,89$

$\underline{\psi_2 = 75{,}58^\circ}$

$\boldsymbol{\gamma_1 = 32{,}8^\circ, \gamma_2 = 67{,}2^\circ, \beta = 37{,}72^\circ, \phi_1 = 48{,}33^\circ, \phi_2 = 72{,}15^\circ,}$
$\boldsymbol{\psi_1 = 46{,}48^\circ, \psi_2 = 75{,}58^\circ}$

442. a) 37,66 kg **b)** 62,3 kg

443. a) (2)$u(t) = 537{,}4\sin(2\pi \cdot 50t + \frac{\pi}{4})$ V **b)** (2)$u(t) = 21{,}81\sin(2\pi \cdot 10^3 t + 0{,}904)$ V

c) (2)$u(t) = 16{,}42\sin(2\pi \cdot 300t + \frac{\pi}{4})$ V **d)** (2)$u(t) = 94{,}04\sin(2\pi \cdot 500t - 0{,}362)$ V

444. a) $u(t) = 20\cos(5t)\cos(55t)$V **d)** $p(t) = 2p_0\ \cos(\frac{\omega_1 - \omega_2}{2}\,t)\cos(\frac{\omega_1+\omega_2}{2}\,t)$

445. a) $-89{,}96^\circ$ **b)** $-89{,}15^\circ$ **c)** $-81{,}60^\circ$

446. $41{,}74^\circ$

447. 9,66 m^2

448. a) $m = l\sqrt{2}\cos\alpha$ **b)** $h = a + \frac{d}{2} + l\sin\alpha$ **c)** $D = 2l\cos\alpha + d$

449. a) 11,05 mm **b)** 80,58 mm^2

450. $9{,}30^\circ$

451. $30{,}02^\circ$, $59{,}98^\circ$

452. $x = r + l - r\cos\alpha - \sqrt{l^2 - r^2\sin^2\alpha}$

453. $28{,}93^\circ$

454. 0,7 mm

455. 0,40 mm

456. $16{,}4^\circ$

457. 106,4 m

458. **a)** $s = d\ \sin\alpha(1 - \frac{\cos\alpha}{\sqrt{n^2 - \sin^2\alpha}})$ **b)** 1,69 mm **c)** 1,41

459. 21,4 m/s = 71,1 km/h

460. 39 %

461. —

462. —

463. **a)** 2 **b)** 2,594 **c)** 2,705 **d)** 2,717
e) 2,718

464. **a)** 1,415 **b)** 0,042 **c)** 1,002 **d)** 0,987

465. —

466. 12323,58 Euro

467. **a)** 4 722 366 482 869 645 213 696 ($\approx 4{,}722 \cdot 10^{21}$)
b) 281 474 976 710 656 ($\approx 2{,}815 \cdot 10^{14}$) **c)** 16 777 216 ($\approx 1{,}678 \cdot 10^{7}$)

468. **a)** 37,9°C **b)** 38,5°C

469. 2, 4, 8, 16, 32, 64, 128, 256

470. **a)** (1) 4,637 % (2) 5,478 %

471.

Ort	p in bar
Bodensee (Vorarlberg)	0,962
Großglockner (Osttirol, Kärnten)	0,618
Kufstein (Tirol)	0,949
Neusiedlersee (Burgenland)	0,998
Schneeberg (Niederösterreich)	0,773
Sonnblick (Salzburg)	0,677
Steyr (Oberösterreich)	0,973
Tamsweg (Salzburg)	0,887
Turracher Höhe (Kärnten, Steiermark)	0,803
Wien	0,991
Kilimandscharo (Tansania)	0,471
Mt. Everest (Nepal)	0,321

472. **a)** 6 **b)** −5 **c)** $\frac{3}{2}$ **d)** $-\frac{3}{2}$

473. **a)** 1 **b)** −3 **c)** $\frac{2}{5}$ **d)** $-\frac{2}{3}$

474. **a)** 2 **b)** 0 **c)** −2 **d)** $-\frac{1}{2}$

475. $0, 1, -1, -4, \frac{1}{2}, \frac{2}{3}, 3, -\frac{7}{2}, -\frac{2}{7}, -\frac{10}{3}$

476. $1, -1, 2, 0, -4, -2, \frac{1}{2}, \frac{3}{4}, \frac{1}{3}, -\frac{1}{7}$

477. $1, 0, 2, 3, 6, -2, -1, \frac{1}{4}, \frac{2}{3}, -\frac{3}{4}$

478. **a)** 5 **b)** 6 **c)** 2

479. **a)** $\frac{1}{2}$ **b)** $\frac{4}{3}$ **c)** $\frac{1}{16}$

480. **a)** 1024 **b)** $\frac{1}{9}$ **c)** 2

481. **a)** 5 **b)** $\frac{343}{216}$ **c)** $\frac{2}{3} \cdot \sqrt[3]{3}$

482. **a)** 1 **b)** 0 **c)** n

483. **a)** $x = 1{,}638$ **b)** $x = 31{,}623$ **c)** $x = -1$ **d)** $x = 1000$
e) $x = -1{,}398$ **f)** $x = 15{,}849$ **g)** $x = 1{,}398$ **h)** $x = 0{,}794$
i) $x = 12{,}735$ **j)** $x = 0{,}232$

484. **a)** $x = 3{,}999$ **b)** $x = 49{,}402$ **c)** $x = -1{,}609$ **d)** $x = 148{,}413$
e) $x = -2{,}526$ **f)** $x = 2{,}239 \cdot 10^{75}$ **g)** $x = 3{,}892$ **h)** $x = 0{,}247$
i) $x = 167{,}838$ **j)** $x = 1{,}329 \cdot 10^{16}$

485. **a)** $\log a + \log b + \log c + \log d$ **b)** $\log a + \log b - \log c - \log d$
c) $4 \log a + 3 \log b - 2 \log c$ **d)** $\frac{1}{2} \log a - 5 \log b - \log c$

486. **a)** $\log 5 + 12 \log a + \frac{1}{3} \log b$ **b)** $2 \log 2 + \log 3 + 5 \log a + \frac{1}{3} \log b$
c) $\frac{3}{4} \log a + \frac{1}{4} \log b - \frac{1}{4} \log c$ **d)** $\frac{1}{2} \log x + \log y - \frac{1}{4} \log c$

487. **a)** $\log(a-b)$ **b)** $3 \log(a+b) + 3 \log(a-b) + 3 \log(a^2+b^2)$
c) $\log(a^2+b^2) - \log(a+b) - \log(a-b)$
d) $\frac{1}{2} \log(4a+5b) + \frac{1}{2} \log(4a-5b) - \frac{1}{2} \log 2 - \frac{1}{2} \log a$

488. **a)** $3 \log x - 2 \log y + \frac{1}{2} \log a + \frac{1}{4} \log x - \frac{1}{4} \log 3 - \frac{3}{4} \log b$
b) $3 \log a + 2 \log b + \frac{2}{3} \log x - \frac{1}{3} \log 2 - \frac{1}{3} \log y$
c) $2 \log x - 3 \log y + \frac{3}{4} \log a - \frac{1}{4} \log 3 - \frac{1}{4} \log b$
d) $2 \log a + \frac{2}{3} \log x - 3 \log b - \frac{1}{5} \log 2 - \frac{4}{5} \log y$

489. **a)** $\frac{1}{2} \log b + \frac{1}{2} \log x - \frac{5}{2} \log y$
b) $\frac{1}{2} \log x + \frac{5}{2} \log y + \log a - \frac{3}{2} \log b$
c) $\frac{4}{7} \log x + \frac{5}{21} \log y - \frac{3}{14} \log a - \frac{2}{7} \log(x+y)$
d) $\frac{2}{5} \log 2 + \frac{1}{5} \log 3 + \frac{4}{5} \log x + \frac{1}{15} \log(y-1) - \frac{1}{5} \log(2x+y) - \frac{1}{5} \log(2x-y)$

490. **a)** $\frac{8}{3} \log x + \frac{4}{3} \log(y^2+z) - \frac{7}{4} \log y - \frac{3}{4} \log(y^2+z) + \frac{7}{2} \log y - \frac{9}{2} \log x =$
$= (\frac{16}{6} - \frac{27}{6}) \log x + (\frac{14}{4} - \frac{7}{4}) \log y + (\frac{16}{12} - \frac{9}{12}) \log(y^2+z) =$
$= \underline{-\frac{11}{6} \log x + \frac{7}{4} \log y + \frac{7}{12} \log(y^2+z)}$
b) $-\frac{1}{10} \log a - \frac{13}{15} \log(b-c^2) + \frac{8}{3} \log b$ **c)** $\frac{23}{28} \log(x+y^2) + \frac{7}{4} \log a - \frac{8}{7} \log b$

491. **a)** $13 \log a + \frac{13}{45} \log(x+y) - \frac{10}{3} \log b$ **b)** $\frac{18}{5} \log a + \frac{17}{15} \log(x-y) + \frac{16}{3} \log b$
c) $\frac{35}{3} \log a + \frac{1}{4} \log(x+y) - \frac{5}{2} \log b$

492. a) $\frac{86}{7}\log x + \frac{32}{5}\log y + \frac{3}{35}\log(z-y) + 10\log z$

b) $3\log a + \frac{3}{2}\log a + \frac{5}{6}\log(x-y) + 4\log a + 8\log b - 3\log b - \log b - \frac{6}{7}\log(x-y) =$
$= \underline{\frac{17}{2}\log a + 4\log b - \frac{1}{42}\log(x-y)}$

c) $\frac{17}{2}\log x + \frac{1}{7}\log y - \frac{5}{21}\log(a-b)$

493. a) $\log\frac{ac}{b}$ **b)** $\log 6$

494. a) $\log\frac{a^2c^5}{b^3}$ **b)** $\log 18$

495. a) $\log\frac{7ac^2}{\sqrt{b}}$ **b)** $\log\frac{a}{\sqrt{b-c}}$

496. a) $\log\frac{a^2\sqrt{x}}{b\sqrt[5]{y^3}}$ **b)** $\log\frac{x^3\cdot\sqrt[4]{a^3}}{y\cdot\sqrt{b}}$

497. a) $\log\sqrt[5]{\frac{x^2\cdot\sqrt[5]{b^6}}{\sqrt[5]{2^3a}}} = \underline{\log\sqrt[5]{\frac{x^2b\cdot\sqrt[5]{b}}{\sqrt[5]{2^3a}}}}$ **b)** $\log\sqrt[11]{a^3y\sqrt[4]{\frac{y}{27x}}}$

498. a) $\log\frac{x-1}{x-3}$ **b)** $\log\frac{x-5}{x-7}$

499. $\log\sqrt{a^8-b^8}$

500. $\log\frac{1}{\sqrt[3]{6561x^8-y^8}}$

501. a) $\log\sqrt[5]{\frac{xy^3}{(x+y)\sqrt[7]{x^4y^4}}} = \log\sqrt[5]{\frac{xy^3\sqrt[7]{x^3y^3}}{(x+y)xy}} = \underline{\log\sqrt[5]{\frac{y^2\sqrt[7]{x^3y^3}}{(x+y)}}}$ **b)** $\log\sqrt[6]{a^4b(a-b)}$

502. a) $\log\sqrt[9]{\frac{y^3\sqrt[8]{xy}}{x^2(x-y)\sqrt[3]{x-y}}}$ **b)** $\log a\sqrt[4]{\frac{b\sqrt[6]{b}}{a+b}}$

503. $\log\sqrt{\sqrt[8]{x}\sqrt[4]{\left(\frac{x^5\sqrt[3]{a^2}\sqrt[3]{b}}{\sqrt[3]{c}\sqrt[3]{2^2}}\right)^3}} = \log\sqrt{\sqrt[8]{x}\sqrt[4]{\frac{x^{15}a^2b}{4c}}} = \underline{\log\sqrt[8]{\frac{x^{15}\sqrt{x}a^2b}{4c}}}$

504. a) $\log x\sqrt[3]{x\sqrt{yz}}$ **b)** $\log\sqrt[15]{\frac{x\sqrt{x}\sqrt[20]{a}}{b\sqrt[20]{x^3}\sqrt[5]{y}}}$

505. a) $\log\sqrt[27]{\left(\frac{(x-y)^2x^3}{\sqrt[5]{x+y}}\right)^2}$ **b)** $\log\frac{b^3\sqrt[3]{a}}{\sqrt{a-b}}$

506. a) $\log\sqrt[35]{\left(\frac{x-y}{x^3\cdot\sqrt[3]{(x+y)^5}}\right)^4}$ **b)** $\log\frac{\sqrt[3]{a+b}}{a^3\sqrt[4]{a^3}\sqrt[8]{(a-b)^3}}$

507. a) $y = \log_2 x$ **b)** $y = -\log_2 x$ **c)** $y = \log_5 x$ **d)** $y = -\log_5 x$

508. —

509. —

510. —

511. a) $\{6\}$ **b)** $\{4\}$ **c)** $\{12\}$

512. a) $\{\frac{3}{2}\}$ **b)** $\{1\}$ **c)** $\{-\frac{9}{2}\}$

513. a) $\{-1\}$ **b)** $\{-2\}$

514. a) $5^{3x+2} = 5^{x+2}$ **b)** $\{1\}$

$3x + 2 = x + 2$

$2x = 0$

$\underline{x = 0}$ $\underline{\mathbf{L = \{0\}}}$

515. a) $\{1\}$ **b)** $\{-6\}$

516. a) $\{1\}$ **b)** $\{1\}$

517. a) $\{4\}$ **b)**

$$a^{\frac{1}{3}(x+1)} \cdot a^{-\frac{1}{3}(2x-7)} = a^{\frac{1}{4}(7-5x)} \cdot a^{-\frac{1}{2}(7-3x)}$$

$$\tfrac{1}{3}(x+1) - \tfrac{1}{3}(2x-7) = \tfrac{1}{4}(7-5x) - \tfrac{1}{2}(7-3x)$$

$$\tfrac{1}{3}x + \tfrac{1}{3} - \tfrac{2}{3}x + \tfrac{7}{3} = \tfrac{7}{4} - \tfrac{5}{4}x - \tfrac{7}{2} + \tfrac{3}{2}x$$

$$-\tfrac{1}{3}x + \tfrac{8}{3} = -\tfrac{7}{4} + \tfrac{1}{4}x$$

$$-4x + 32 = -21 + 3x$$

$$-7x = -53$$

$$\underline{x = \tfrac{53}{7}} \qquad \underline{\mathbf{L = \{\tfrac{53}{7}\}}}$$

518. a) $\{2\}$ **b)** $\{-1\}$

519. a) $\{\frac{3}{2}\}$ **b)** $\{0\}$

520. a) $\{1\}$ **b)**

$$3^{x-1} - 3^{x-3} = 3^{2x-3} - 3^{2x-5}$$

$$3^{x-3}(3^2 - 1) = 3^{2x-5}(3^2 - 1)$$

$$x - 3 = 2x - 5$$

$$\underline{x = 2} \qquad \underline{\mathbf{L = \{2\}}}$$

521. a) $\{1\}$ **b)** $\{1\}$

522. a) $\{1\}$ **b)** $\{1\}$

523. $\{2\}$

524. $\{2\}$

525. $\{2\}$

526. $\{4\}$

527. $\{1\}$

528. $\{4\}$

529. $\{\frac{1}{2}\}$

530. $\{\frac{4}{3}\}$

531. a) $\{1{,}585\}$ **b)** $\{0{,}6309\}$ **c)**

$$\lg 3^{x-1} = \lg 5$$
$$(x-1)\lg 3 = \lg 5$$
$$x = \frac{\lg 5}{\lg 3} + 1 = \frac{0{,}6990}{0{,}4771} + 1$$
$$\underline{x = 2{,}4650} \qquad \underline{L = \{\mathbf{2{,}465}\}}$$

d) $\{-0{,}3174\}$

532. a) $\{1{,}2643\}$ **b)** $\{-\frac{3}{5}\}$ **c)** $\{-10{,}3437\}$

533. a) $\{-4\}$ **b)** $\{1\}$ **c)** $\{-5\}$ **d)** $\{4\}$

534. a) $\{0{,}2909\}$ **b)** $\{13{,}0659\}$

535. a) $\{0\}$ **b)** $\{-\frac{1}{8}\}$

536. a) $\{0{,}0358\}$ **b)** $\{-0{,}5981\}$

537. a) $\{3\}$ **b)**

$$7^{x-2}(2\cdot 7 - 1) = \tfrac{13}{49}$$
$$7^{x-2}\cdot 13 = 13\cdot 7^{-2} \qquad |:13$$
$$x - 2 = -2$$
$$\underline{x = 0} \qquad \underline{L = \{\mathbf{0}\}}$$

538. a) $\{0{,}5\}$ **b)** $\{2\}$

539. a) $\{15{,}3085\}$ **b)** $\{1{,}6031\}$

540. a) $\{-2{,}7459\}$ **b)** $\{2{,}82498\}$

541. a) $\{-5{,}0552\}$ **b)** $\{19{,}6548\}$

542. a) $\{-1{,}0319\}$ **b)** $\{-0{,}9732\}$

543. a)

$$3^{x+2} + 3^{x+1} = 4^{x+1} - 4^x$$
$$3^{x+1}(3+1) = 4^x(4-1)$$
$$3^{x+1}\cdot 4 = 4^x\cdot 3$$
$$3^x = 4^{x-1}$$
$$x\lg 3 = (x-1)\lg 4$$
$$\lg 4 = x(\lg 4 - \lg 3)$$
$$x = \frac{\lg 4}{\lg 4 - \lg 3} = \frac{0{,}6021}{0{,}6021 - 0{,}4771}$$
$$\underline{x = 4{,}8188} \qquad \underline{L = \{\mathbf{4{,}8188}\}}$$

b) $\{13{,}5855\}$

544. a) $\{-1{,}2463\}$ **b)**

$$7^{4x+1} - 7^{4x-1} = 5^{3x+2} - 4\cdot 5^3x$$
$$7^{4x-1}(7^2-1) = 5^{3x}(5^2-4)$$
$$7^{4x-1}\cdot 48 = 5^{3x}\cdot 21$$
$$7^{4x-2}\cdot 16 = 5^{3x}$$
$$(4x-2)\lg 7 + \lg 16 = 3x\lg 5$$
$$x(4\lg 7 - 3\lg 5) = 2\lg 7 - \lg 16$$
$$x = \frac{2\lg 7 - \lg 16}{4\lg 7 - 3\lg 5} = \frac{2\cdot 0{,}8451 - 1{,}2041}{4\cdot 0{,}8451 - 3\cdot 0{,}6990}$$
$$\underline{x = 0{,}3787} \qquad \underline{L = \{\mathbf{0{,}3787}\}}$$

545. $\{0{,}6963\}$

546. $\{13{,}8342\}$

547. a) $\{1\}$ **b)** $5^{2x} - 6 \cdot 5^x + 5 = 0 \quad |5^x = u$ **c)** $\{2,\ 1\}$

$$u^2 - 6u + 5 = 0$$
$$u_{1,2} = 3 \pm \sqrt{9-5}$$
$$u_{1,2} = 3 \pm 2$$
$$u_1 = 5 \qquad u_2 = 1 \qquad |u = 5^x$$
$$5^{x_1} = 5 = 5^1 \qquad 5^{x_2} = 1 = 5^0$$
$$\underline{x_1 = 1} \qquad \underline{x_2 = 0} \qquad \underline{\mathbf{L = \{1,\ 0\}}}$$

548. a) $\{2{,}0009,\ -1{,}4878\}$ **b)** $\{2,\ 1\}$ **c)** $\{4,\ 5\}$

549. a) $\{1{,}3691,\ 1\}$ **b)** $\{2{,}0828\}$

c)

$$3(3^{x+11} + 1) = 244 \cdot 3^{0{,}5x+4} \qquad |:3$$
$$3^x \cdot 3^{11} + 1 = 244 \cdot 3^{0{,}5x} \cdot 3^3$$
$$3^{11} \cdot 3^x - 6588 \cdot 3^{0{,}5x} + 1 = 0 \qquad |3^{0{,}5x} = u$$
$$3^{11}u^2 - 6588u + 1 = 0$$
$$u_{1,2} = \frac{6588 \pm \sqrt{6588^2 - 4 \cdot 3^{11}}}{2 \cdot 3^{11}} = \frac{6588 \pm 6534}{2 \cdot 3^{11}}$$
$$u_1 = \frac{13122}{2 \cdot 3^{11}} = \frac{2 \cdot 3^8}{2 \cdot 3^{11}} = 3^{-3} \qquad u_2 = \frac{54}{2 \cdot 3^{11}} = \frac{2 \cdot 3^3}{2 \cdot 3^{11}} = 3^{-8}$$
$$3^{0{,}5x_1} = 3^{-3} \qquad 3^{0{,}5x_2} = 3^{-8}$$
$$0{,}5x_1 = -3 \qquad 0{,}5x_2 = -8$$
$$\underline{x_1 = -6} \qquad \underline{x_2 = -16} \qquad \underline{\mathbf{L = \{-6, -16\}}}$$

550. a) $\{1,\ 3\}$ **b)** $(5 - x)(6 - x) = 2$ **c)** $\{0,\ 5\}$

$$x^2 - 11x + 28 = 0$$
$$x_{1,2} = \frac{11 \pm \sqrt{121 - 4 \cdot 28}}{2}$$
$$x_{1,2} = \frac{11 \pm 3}{2}$$
$$\underline{x_1 = 7}$$
$$\underline{x_2 = 4} \qquad \underline{\mathbf{L = \{7,\ 4\}}}$$

551. a) $\{3\}$ **b)** $\{\frac{22}{3}\}$ **c)** $\{-3\}$

552. a) $\{65\}$ **b)** $\{\frac{58}{7}\}$ **c)** $\{0{,}50125\}$

553. a) $\{2\}$ **b)** $\{10\}$

554. a) $\frac{(x+3)}{10^{0{,}47712}} = 2x - 4$ **b)** $\{3\}$

$$\frac{x+3}{3} = 2x - 4$$
$$x + 3 = 6x - 12$$
$$5x = 15$$
$$\underline{x = 3} \qquad \underline{\mathbf{L = \{3\}}}$$

555. a) $\{\frac{9}{2}\}$ **b)** $\{\}$

556. a) $\{1\}$ **b)** $\{0\}$

557. $\{\}$

558. $\{\}$

559. a) $\frac{x^5}{x^2} = 8$

$x^3 = 8$

$\underline{x = 2}$ $\underline{\mathbf{L} = \{\mathbf{2}\}}$

b) $\{0{,}004115\}$

560. a) $\{16\}$ **b)** $\{2\}$

561. a) $\{2\}$ **b)** $\{2\}$ **c)** $\underline{x} = \frac{17512}{\lg 18} = \underline{13950{,}8}$ $\underline{\mathbf{L} = \{\mathbf{13950{,}8}\}}$

562. a) $5^x - 125 = 10^{2{,}69897}$

$5^x - 125 = 500$

$5^x = 625$

$\underline{x = 4}$ $\underline{\mathbf{L} = \{\mathbf{4}\}}$

b) $\{0\}$

563. a) $\{2\}$ **b)** $\{-1{,}415\}$

564. a) $\{3\}$ **b)** $\{\frac{8}{7}\}$

565. a) $\{-1\}$ **b)** $\{\frac{13}{3}\}$

566. a) $\{1\}$ **b)** $\{10,\ 0{,}1\}$ **c)** $\lg^2 x = \lg 10000$

$\lg^2 x = 4$

$\lg x_1 = 2$ $\lg x_2 = -2$

$\underline{x_1 = 100}$ $\underline{x_2 = 0{,}01}$

$\underline{\mathbf{L} = \{\mathbf{100},\ \mathbf{0{,}01}\}}$

567. a) $\{\}$ **b)** $\{\}$

568. a) $\{\}$ **b)** $\{4\}$

569. a) $\{-0{,}382\}$ **b)** $\{9\}$

570. $\{\frac{1}{3}\}$

571. a) $\{\}$ **b)** $\sqrt[3]{15x + 2\sqrt{x^2 - 5x + 8}} = 4$

$15x + 2\sqrt{x^2 - 5x + 8} = 64$

$2\sqrt{x^2 - 5x + 8} = -15x + 64$

$4(x^2 - 5x + 8) = 225x^2 - 1920x + 4096$

$4x^2 - 20x + 32 = 225x^2 - 1920x + 4096$

$221x^2 - 1900x + 4064 = 0$

$x_{1,2} = \frac{1900 \pm \sqrt{1900^2 - 4 \cdot 221 \cdot 4064}}{2 \cdot 221}$

$x_{1,2} = \frac{1900 \pm 132}{442}$

x_1 ist auszuscheiden (Probe!)

$\underline{x_2 = 4}$ $\underline{\mathbf{L} = \{\mathbf{4}\}}$

572. a) $\{31623,\ 10000\}$ **b)** $\{10\}$

573. a) $\{10,\ 100\}$

b) $\lg^2(x+1) - \lg(x+1) = 0$ c) $\{-2,\ 7\}$

$\lg(x+1)[\lg(x+1) - 1] = 0$

$\lg(x+1) = 0$ $\lg(x+1) - 1 = 0$

$x + 1 = 10^0$ $\lg(x+1) = 1$

$x + 1 = 1$ $x + 1 = 10$

$\underline{x = 0}$ $\underline{x = 9}$ $\underline{\mathbf{L} = \{\mathbf{0},\ \mathbf{9}\}}$

574. a) $\{100,\ 10\}$ b) $\{100,\ 2{,}1544\}$ c) $\{31{,}623\}$

575. a) 22 Jahre b) 31 Jahre

576. τ_1 : 39700 Jahre, τ_2 : 40300 Jahre

577. 40 Jahre

578.

x	0	1	2	3	4	5	6	7	8	9	10
y(mm)	0	1	4	9	16	25	36	49	64	81	100

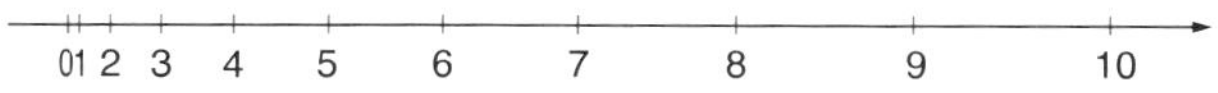

579. —

580.

α(in°)	0	10	20	30	40	50	60	70	80	90
x	0	0,17	0,34	0,5	0,64	0,77	0,86	0,94	0,98	1
x(cm)	0	1,7	3,4	5	6,4	7,7	8,6	9,4	9,8	10

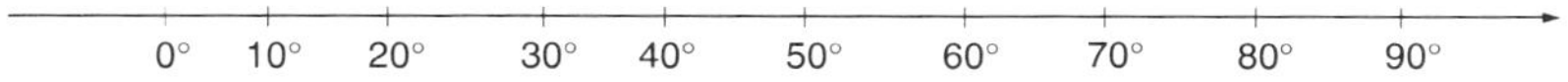

581. —

582. —

583. —

584.

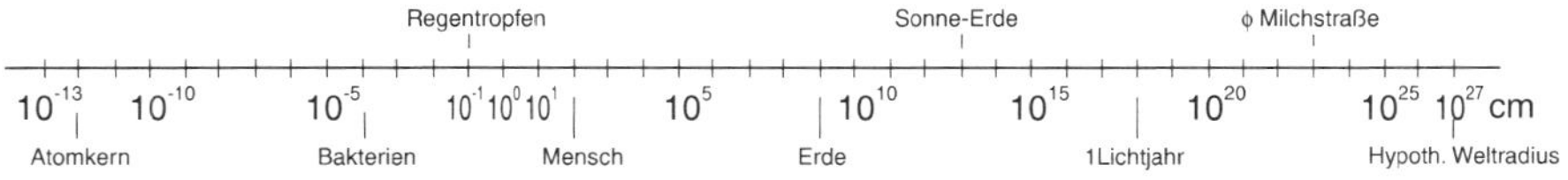

585. a) Unterschiede: (1) Die Abszisseneinheit ist logarithmisch.
(2) Die Ordinateneinheit ist logarithmisch.

Gemeinsamkeiten: Eine Koordinatenachse hat jeweils logarithmische Einheiten, die andere hat lineare Einheiten.

586. —

587. —

588. —

589. a) auf doppeltlogarithmischem Papier b) auf doppeltlogarithmischem Papier

590. $x \mapsto 2 \cdot 2^x$

591. **a)** $y = e^{\frac{x}{2}}$ **b)** $y = x$ **c)** $y = 0{,}7^x$
d) $y = \frac{1}{2}\lg x$ **e)** $y = \frac{1}{x}$ **f)** $y = \frac{3}{2}x^{\frac{3}{2}}$

592. $\theta = 65{,}21 \cdot 1{,}245^{-t}$

593. $y = 1{,}33 \cdot 10^{-12}x^{3,92}$

594. $y = 365a^{1,5}$

595. **a)** $E12 = 10 \cdot \sqrt[12]{10^x}$ $(x \in \mathbb{N}^* \wedge x \leqslant 12)$

b) $E_n = \langle a_n, ..., a_n \rangle$ mit $a_n = [10 \cdot 10^{\frac{k}{n}} + 0{,}5], 0 \leqslant k \leqslant n$ [] ..... Gaußklammer

Bemerkung: Die Glieder der Normzahlreihen E6, E12 und E24 weichen aus historischen Gründen bis zu 10 % von den Werten ab, die man mit obiger Formel erhält.

c) E 24: 10, 11, 12, 13, 15, 16, 18, 20, 22, 24, 26, 29, 32, 35, 38, 42, 46, 51, 56, 62, 68, 75, 83, 91, 100

596. 35,2 Jahre

597. $0{,}733\ s^{-1}$

598. **a)** 21 DIN **b)** Erhöhung um 3 **d)** $S_{ASA} = 10^{\frac{S_{DIN}-1}{10}}$

599. **a)** $v(t) = 4 \cdot 1{,}031^t$

b) 311 Jahre, 31 Jahre, 186 Jahre, 42 Jahre

c) 16,5 Jahre, 22,7 Jahre, 21,3 Jahre, 35 Jahre

d) $n = \frac{\ln 2}{\ln(1+\frac{p}{100})}$

e) Restmenge im Zeitpunkt t: r (t)

r (t + 1) = r (t) − v (t)

t	0	1	2	3	4	5	6	7
v(t)	4	4,12	4,25	4,38	4,52	4,66	4,80	4,95
r(t)	123	119	114,9	110,6	106,2	101,7	97,06	92,26
t	8	9	10	11	12	13	14	15
v(t)	5,11	5,26	5,43	5,60	5,77	5,95	6,13	6,32
r(t)	87,30	82,20	79,93	71,50	65,91	60,14	54,19	48,06
t	16	17	18	19	20	21	22	
v(t)	6,52	6,72	6,93	7,14	7,37	7,59		
r(t)	41,73	35,21	28,49	21,56	14,42	7,05	−0,54	

Die Bleireserve reicht noch 21 Jahre.

600. **b)** $T(x(t)) = 13(1 - e^{\frac{-t}{2000}})$ **c)** 8,2°C, 8,7°C

601. 770,5 kj

602. **a)** 50 % **b)** 5 km **c)** 3,16 μW

603. **a)** 3 mm **b)** 5,8 mm

604. **a)** $D = \mathbb{R}^+$, $W =]\frac{100}{1+e^{15T}}, 100[$

605. 24,9 pF

606. 177,1

607.

p	Lp in dB
p_0	0
$10p_0$	20
10^2p_0	40
10^3p_0	60
10^4p_0	80
10^5p_0	100
10^6p_0	120
$3{,}16\cdot10^8p_0$	170

608. 37,5 dB

609. Ja

610. 80 dB

611. **a)** 8 cm, 12 cm, 38 cm, 90 cm **c)** 51,9 Jahre
d) $t(d) = 20(3 + \ln d - \ln(1 - d))$

612. **a)** $y = A(1 - 10^{-cx})$ **b)** 0,3

613. **a)** 55,2 dt/ha **b)** 40,9 kg N/ha

614. **a)** Eher exponentiell **b)** $f(t) = 10{,}09 \cdot 1{,}058^{t-55}$
c) 5,1 %, 0 %, 0 %, −1,1 %
d) Zusätzlich benötigte Kraftwerke: n

$f(75) = 10{,}09 \cdot 1{,}058^{20} = 31{,}4$
$f(80) = 10{,}09 \cdot 1{,}058^{25} = 41{,}7$
$f(90) = 10{,}09 \cdot 1{,}058^{35} = 73{,}6$

Jahr	75	80	90
TWh	31,4	41,7	73,6

$$n = \frac{f(90) - f(70)}{6000\cdot0{,}5\cdot10^{-3}} = \frac{10{,}09\cdot1{,}058^{35} - 10{,}09\cdot1{,}058^{15}}{3} = 16{,}7$$

Es werden 17 Kraftwerke zusätzlich benötigt.

e) Prognose für 1984 ist bereits unzulässig.

615. 3,13 rad

616. **a)** $d = \frac{\ln I_0 - \ln I_\lambda}{N\sigma}$ **b)** $21 \leqslant 2a \ln \frac{L}{2a}$

617. **a)** $\tau = \frac{t}{\ln I_0 - \ln I}$ **b)** $c = \frac{E}{\ln\sqrt{E} - \ln N}$

618. **a)** $p_m = \frac{p_s}{2\cdot10^4(\ln r_1 - \ln r_2)}$ **b)** $t = \frac{4V}{cA} \ln \frac{E_0}{E}$

619. **a)** $T_n = \frac{BT}{T(\ln R_T - \ln R_N) + B}$ **b)** $k = \frac{\ln R_{T1} - \ln R_{T2}}{T_1 - T_2}$

620. 103,2 kΩ

621. **a)** $S = \frac{4{,}14V}{Tc \ln(1 - \alpha_m)}$ **b)** $U_D = U_T \ln\left(1 + \frac{I_D}{I_S}\right)$

622. **a)** $W_P = \frac{1}{T_P} \ln \frac{2L}{L-G}$ **b)** $U_T = \frac{U_P}{\ln(SE-I_S)-\ln I_S}$

623. **a)** $\lambda = \frac{1}{t} \ln \frac{y_0 \sin\lambda t}{y}$ **b)** $\beta = \frac{1}{2b} \ln\left(\frac{4Ab}{a^2} + e^{2\alpha b}\right)$

624. **a)** $\mu_0 = \frac{1}{\pi} \ln \frac{m_2\,(Ig+2r^2 m_1 g+Mr)}{m_1\,(Ig+2r^2 m_2 g-Mr)}$

b) (Radioaktiver Zerfall einer Mutter- mit einer Tochtersubstanz)

$$N_2 = \underbrace{N_{10}\frac{\lambda_1}{\lambda_2-\lambda_1}}_{a} e^{-\lambda_1 t} + \underbrace{(N_{20} - N_{10}\frac{\lambda_1}{\lambda_2-\lambda_1})}_{b} e^{-\lambda_2 t} = ae^{-\lambda_1 t} + be^{-\lambda_2 t}$$

In dieser äquivalent vereinfachten Gleichung kann die gesuchte Größe t mit herkömmlichen, algebraischen Mitteln nicht explizit ausgedrückt werden. Die folgenden drei vergeblichen Versuche, dies dennoch zu erreichen, sollen das zeigen.

(1) Einer der beiden Summanden der rechten Seite wird auf die linke Seite gebracht, anschließend wird logarithmiert:

$$N_2 - ae^{-\lambda_1 t} = be^{-\lambda_2 t}$$

$$\ln(N_2 - ae^{-\lambda_1 t}) = -\lambda_2 t \ln b$$

Es existiert kein Rechengesetz für den Logarithmus einer Summe bzw. Differenz. Deshalb kann aus dem Numerus der linken Seite t nicht herausgelöst und mit der Variablen t der rechten Seite zusammengebracht werden!

(2) Die rechte Seite wird als Bruch angeschrieben:

$$N_2 = \frac{a}{e^{\lambda_1 t}} + \frac{b}{e^{\lambda_2 t}}$$

$$N_2 = \frac{ae^{\lambda_1 t} + be^{\lambda_2 t}}{e^{\lambda_1 t} e^{\lambda_2 t}}$$

$$N_2 e^{(\lambda_1+\lambda_2)t} = ae^{\lambda_1 t} + be^{\lambda_2 t}$$

$$\ln N_2 + (\lambda_1 + \lambda_2)t = \ln(ae^{\lambda_1 t} + be^{\lambda_2 t})$$

Aus dem Numerus der rechten Seite kann t nicht mehr herausgenommen werden! (Vgl. Versuch (1))

(3) Auf der rechten Seite wird $e^{-\lambda_1 t}$ herausgehoben:

$$N_2 = e^{-\lambda_1 t}\left(a + b \cdot \frac{e^{-\lambda_2 t}}{e^{-\lambda_1 t}}\right)$$

$$N_2 e^{\lambda_1 t} = a + be^{(\lambda_1-\lambda_2)t}$$

$$\ln N_2 + \lambda_1 t = \ln(a + be^{(\lambda_1-\lambda_2)t})$$

Aus dem Numerus der rechten Seite lässt sich t nicht mehr herausnehmen. Würde man vor dem Logarithmieren a auf die linke Seite bringen, so erhielte man:

$$N_2 e^{\lambda_1 t} - a = be^{(\lambda_1-\lambda_2)t}$$

$$\ln(N_2 e^{\lambda_1 t} - a) = \ln b + (\lambda_1 - \lambda_2)t$$

Nun lässt sich t wiederum nicht aus dem Numerus der linken Seite herausnehmen.

Eine mögliche Lösung besteht darin, den Parametern a und b (bzw. $N_{10}, N_{20}, \lambda_1$ undλ_2) konkrete Werte zuzuweisen, den Graphen der Funktion $N_2(t)$ anzufertigen und daraus für den jeweiligen Wert N_2 den zugehörigen Argumentwert t abzulesen. Im nächsten Band werden rechnerische Methoden zur approximativen Lösung derartiger **transzendenter Gleichungen** vorgestellt.

625. 0,186

626. **a)** $\alpha = \frac{\ln M - \ln k_4 \Delta p}{\ln d}$ **b)** $\kappa = \frac{\ln C - \ln T}{\ln v} + 1$

627. **a)** $L_T = 10\,(\lg A - 1) + L$ **b)** $\kappa = \frac{\ln p_2 - \ln p_1}{\ln p_2 T_1 - \ln p_1 T_2}$

628. **a)** $z = \frac{\ln p_e \ln p_q}{\ln p_n - \ln p_{n-1}}$ **b)** $m = \frac{\ln p_1 - \ln p_i}{\ln v_i - \ln v_1}$

629. **a)** $\alpha = \frac{\ln I_D - \ln I}{\ln(U - U_{GS}) - \ln U}$ **b)** $\gamma = \frac{\ln p - \ln p_0}{\ln(288{,}15 - 6{,}5b) - \ln 288{,}15}$

630. **a)** $n = \frac{\ln C_j - \ln C_0}{\ln(U_{DF} - U_D) - \ln U_{DF}}$ **b)** $\alpha = \frac{\ln \sigma - \ln(\sigma - 1{,}05p)}{\ln(R_a - C) - \ln R_i}$

631. **a)** $r = 10^{1 - \frac{M-m}{5}}$ **b)** $a_{Me} = e^{\frac{zF(E_H - E_{OH})}{RT}}$

632. 100 mW

633. $p_U = p + 10 \lg \frac{R_1}{R_2}$

634. **a)** $P_1 = P_2 e^{2p}$ **b)** $T_2 = T_1 e^{\frac{\Delta S}{C_p}}$

635. **a)** $p_4 = p_1 e^{\frac{Q_{41}}{mRT_4}}$ **b)** $|\rho_1 \rho_2| = 10^{\frac{\Delta dB}{20}} - 1$

636. **a)** $d = 4ae^{-\frac{\varepsilon l}{1{,}8C}}$ **b)** $R = de^{\frac{4}{Ex}}$

637. **a)** $R_e = \frac{2{,}51}{\sqrt{\lambda}} \cdot 10^{\sqrt{\frac{0{,}259}{\lambda}}}$ **b)** $w_m = w_x e^{\frac{-2 \tan^2 \delta_a}{m^2}}$

638. **a)** $\lambda = \sqrt{\frac{2KT}{M}}\, e^{\frac{-\Delta_{fd}^2}{2g}}$ **b)** $g_0 = 2^{\frac{1}{2}[(\frac{\Delta w_a}{\Delta w_{3dB}})^2 + 1]}$

639. 29,8 N

640. **a)** 557,3 N **b)** 2777 N **c)** 64,26 kN

641. **a)** 0° **b)** 112,6° **c)** 418,1°

642. **a)** 461,7 N **b)** 602 N

643. 0,116

644. **a)** 1,92 s^{-1} **b)** $\frac{A_0}{100}$

645. **a)** 1,306 **b)** 1,355 **c)** 1,329 **d)** 1,322

646. **b)** 1,22 bar

647. **a)** 1 : 1,0595 **b)** fis_1 **c)** 554,4 Hz

648. 3,08 Tage

649. **a)** 113,9 Bq **b)** Nach 17 Tagen

650. **a)** 824,3 MBq **b)** Nach 28,5 Tagen

651. **a)** 0,44 g **b)** 0,17 g

652. **a)** i **b)** $\sqrt{-25} = \sqrt{25} \cdot \sqrt{-1} = \underline{5i}$ **c)** 8i **d)** 14i **e)** $\sqrt{5}i$

653. a) $6a^2\sqrt{2}\,i$ **b)** $a^3\sqrt{3}\,i$ **c)** $12a\sqrt{2a}\,i$ **d)** $\frac{a}{4}\sqrt{a}\,i$
e) $a^2\sqrt{\frac{5a}{6}}\,i$

654. a) $i^{4n} = (i^4)^n = (i^2i^2)^n = [(-1)(-1)]^n = 1^n = \underline{1}$
b) $i^{4n+1} = (i^4)^n i = (i^2i^2)^n i = [(-1)(-1)]^n i = 1^n i = \underline{i}$
c) $i^{4n+2} = (i^4)^n i^2 = (i^2i^2)^n i^2 = [(-1)(-1)]^n(-1) = 1^n(-1) = \underline{-1}$
d) $i^{4n+3} = (i^4)^n i^3 = (i^2i^2)^n i^2 i = [(-1)(-1)]^n(-1)i = 1^n(-1)i = \underline{-i}$

655. a) $-i$ **b)** i **c)** i **d)** $-i$

656. a) 1 **b)** -1 **c)** i **d)** i

657. a) i **b)** 1 **c)** i **d)** 1

658. a) i **b)** 1 **c)** i **d)** -1

659. a) $a = -2, b = 7$ **b)** $a = 1, b = 1$
c) $a = 0,\ b = 0$ **d)** $a = -3, b = -1$

660. a) $(4,\ 6)$ **b)** $(6+i)+(3-7i) = 9-6i = \underline{(9,\ -6)}$ **c)** $(11,\ 8)$

661. a) $(9,\ -8)$ **b)** $(11, 4)$ **c)** $(7,\ 7)$

662. a) $(0,\ 2)$ **b)** $(-4, -1)$
c) $(2+3i)-(3+2i) = 2-3+3i-2i = -1+i = \underline{(-1, 1)}$

663. a) $(21-19i)-(3+7i) = 21-3-19i-7i = 18-26i = \underline{(18, -26)}$
b) $(-8, -4)$ **c)** $(-7, 6)$

664. a) $(-27, 53)$ **b)** $(103, 237)$
c) $(6+i)(1-i) = 6+i-6i-i^2 = 6-5i+1 = 7-5i = \underline{(7, -5)}$

665. a) $(188, -76)$ **b)** $(290, 0)$ **c)** $(64, 164)$

666. a) $(16, 30)$ **b)** $(48, -14)$ **c)** $(-2, 2)$ **d)** $(-117, -44)$

667. a) $\frac{1}{2+i} = \frac{1}{2+i}\cdot\frac{2-i}{2-i} = \frac{2-i}{4+1} = \frac{2}{5} - \frac{i}{5} = \underline{(\frac{2}{5}, -\frac{i}{5})}$
b) $(\frac{3}{34}, \frac{5}{34})$ **c)** $(\frac{4}{5}, \frac{2}{5})$ **d)** $(\frac{7}{17}, \frac{6}{17})$

668. a) $(\frac{15}{34}, \frac{9}{34})$ **b)** $(-\frac{7}{25}, -\frac{24}{25})$ **c)** $(\frac{36}{85}, \frac{77}{85})$ **d)** $(\frac{93}{73}, -\frac{102}{73})$

669. a) $(\frac{4}{289}, -\frac{5}{289})$
b) $(3-9i)^{-2} = \frac{1}{(3-9i)^2} = \frac{1}{9(1-3i)^2} = \frac{1}{9(1-6i+9i^2)} = -\frac{1}{9(8+6i)} = \frac{1}{18(4+3i)}\cdot\frac{4-3i}{4-3i} = -\frac{4-3i}{18\cdot 25} =$
$= -\frac{2}{225} + \frac{i}{150} = \underline{(-\frac{2}{225}, \frac{1}{150})}$
c) $(-\frac{1}{864}, \frac{1}{864})$ **d)** $(-\frac{23}{6406452}, \frac{1}{1423636})$

670. a) $(\frac{1}{6}, \frac{5}{12})$ **b)** $(-4, -6)$
c) $\frac{(8-7i)^2}{8+7i^{49}} = \frac{(8-7i)^2}{8+7i}\cdot\frac{8-7i}{8-7i} = \frac{(8-7i)^3}{113} = \frac{512-1344i+1176i^2-343i^3}{113} = \frac{-664-1001i}{113} =$
$= \underline{(-\frac{664}{113}, -\frac{1001}{113})}$ **d)** $(\frac{86}{337}, -\frac{1944}{337})$

671. a) $(-\frac{3044}{145}, -\frac{853}{145})$ **b)** $(-\frac{1809}{29}, -\frac{538}{29})$
c) $(\frac{449}{625}, -\frac{157}{625})$ **d)** $(\frac{407}{21025}, -\frac{974}{21025})$

672. a) $(-\frac{1331}{24389}, -\frac{94}{24389})$ **b)** $(\frac{9}{32}, \frac{9}{32})$
c) $(-\frac{26811}{4394}, -\frac{1377}{4394})$ **d)** $(\frac{4}{5}, -\frac{22}{5})$

673. —

674. a) $(a+bi)(a-bi)$ **b)** $(\sqrt{x}+i)(\sqrt{x}-i)$
c) $(2x+3yi)(2x-3yi)$ **d)** $(5x+25yi)(5x-25yi)$

675. a) $\mathbb{R}$ **b)** $\{z\in\mathbb{C} | z = bi \land b\in\mathbb{R}\}$ **c)** $\mathbb{C}$ **d)** $\mathbb{C}\setminus\{0\}$

676. a) $(a+c, b+d)$ **b)** $(a-c, b-d)$ **c)** $(ac-bd, ad+bc)$ **d)** $(\frac{ac+bd}{c^2+d^2}, \frac{bc-ad}{c^2+d^2})$

677. a) $\{-1+5i, -1-5i\}$ **b)** $\{3+i, 3-i\}$ **c)** $\{-9+4i, -9-4i\}$

678. a) $\{-3+i, -3-i\}$ **b)** $\{2+i, 2-i\}$
c) $\{-\frac{1}{2}+\frac{\sqrt{3}\,i}{2}, -\frac{1}{2}-\frac{\sqrt{3}\,i}{2}\}$

679. a) $4x^2-4x+5=0$ **b)** $\{\frac{1+3\sqrt{3}\,i}{4}, \frac{1-3\sqrt{3}\,i}{4}\}$ **c)** $\{\frac{3+\sqrt{6}\,i}{2}, \frac{3-\sqrt{6}\,i}{2}\}$

$$x_{1,2} = \frac{4\pm\sqrt{16-80}}{8}$$
$$x_{1,2} = \frac{4\pm\sqrt{-64}}{8}$$
$$x_{1,2} = \frac{4\pm 8i}{8}$$
$$\underline{x_{1,2} = \frac{1}{2}\pm i} \quad \underline{\mathbf{L} = \{\tfrac{1}{2}+\mathbf{i}, \tfrac{1}{2}-\mathbf{i}\}}$$

680. a) $\{\frac{1}{2}+3i, \frac{1}{2}-3i\}$ **b)** $\{\frac{3}{4}+\frac{5i}{4}, \frac{3}{4}-\frac{5i}{4}\}$ **c)** $\{2+\frac{5i}{4}, 2-\frac{5i}{4}\}$

681. a) $\{-\frac{2\sqrt{10}\,i}{3}, \frac{2\sqrt{10}\,i}{3}\}$ **b)** $\{-\sqrt{30}\,i, \sqrt{30}\,i\}$

682. a) $\{-5i, 5i\}$ **b)** $\{3-i, 3+i\}$ **c)** $\{-\sqrt{3}\,i, +\sqrt{3}\,i\}$

683. a) $\{1-\sqrt{2}\,i, 1+\sqrt{2}\,i\}$ **b)** $\{1-\sqrt{2}\,i, 1+\sqrt{2}\,i\}$ **c)** $\{3+3i, 3-3i\}$

684. —

685. a) $p=-14, q=193$ **b)** $p=-4, q=29$ **c)** $p=10, q=29$

686. a) $q=5$, Realteil $=-2$ **b)** $p=\frac{2}{3}$, Imaginärteil $=\pm\frac{\sqrt{17}\,i}{3}$
c) $p=\pm 4$, Realteil $=\pm 2$
d) Realteil $= a$

$$(a+0{,}3499i)+(a-0{,}3499i) = +2$$
$$2a = +2$$
$$a = +1$$

$$q = (1+0{,}3499i)(1-0{,}3499i) =$$
$$= 1+0{,}1224 = 1{,}1224$$

$\underline{q = 1{,}1224}$, $\underline{\text{Realteil} = 1}$

e) Imaginärteil $= b$

$$(2+bi)(2-bi) = q$$
$$4+b^2 = q$$
$$b^2 = 5$$
$$b = \pm\sqrt{5}$$

$$(2+\sqrt{5}i)+(2-\sqrt{5}i) = -p$$
$$4 = -p$$
$$p = -4$$

$\underline{p=-4}$, $\underline{\text{Imaginärteil} = \pm\sqrt{5}}$

f) $q=\frac{5}{3}$, Realteil $=\frac{2}{3}$

687. a) $x^2 + 2x + 26 = 0$ **b)** $x^2 - 6x + 10 = 0$

c) $x_1 = \frac{168i-95}{193}\, x_2;\ \frac{168i-95}{193}\, x_2 - x_2 = 24i$

$$(168i - 95)\, x_2 - 193x_2 = 4632i$$
$$(168i - 288)\, x_2 = 4632i$$
$$x_2 = \frac{24 \cdot 193i}{24\,(7i-12)}$$
$$x_2 = \frac{193i}{-12+7i} \cdot \frac{-12-7i}{-12-7i}$$
$$x_2 = \frac{193i\,(-12-7i)}{193}$$
$$x_2 = 7 - 12i \qquad x_1 = 7 + 12i$$

$-p = x_1 + x_2 = 7 + 12i + 7 - 12i = 14$ $\underline{p = -14}$

$q = x_1 x_2 = (7 + 12i)(7 - 12i) = 49 + 144 = 193$ $\underline{\mathbf{x^2 - 14x + 193 = 0}}$

d) $x^2 \pm 4x + 29 = 0$ **e)** $x^2 + 10x + 29 = 0$ **f)** $x^2 - 4x + 5 = 0$

688. —

689. a) $5 + 4i$ **b)** $5 + 4i$

690. a) $-4 + 8i$ **b)** $-5 - 5i$

691. a) $1 + 2i$ **b)** $-5 - 4i$

692. a) $5i$ **b)** $-5 - 5i$

693. a) $\sqrt{5}$ **b)** 13 **c)** 0,4 **d)** $\sqrt{u^2 + v^2}$

694. 2,236

695. a) $(\pm 8{,}6)$ **b)** $(-8, \pm 15)$ **c)** $(\pm 24, 7)$ **d)** $(-9, \pm 40)$

696.

a)	$3 + 4i$	$(3, 4)$	$5(\cos 53{,}1^\circ + i \cdot \sin 53{,}1^\circ)$	$(5, 53{,}1^\circ)$
b)	$-5 + 12i$	$(-5, 12)$	$13(\cos 112{,}6^\circ + i \cdot \sin 112{,}6^\circ)$	$(13, 112{,}6^\circ)$
c)	$-7i$	$(0, -7)$	$7(\cos 270^\circ + i \cdot \sin 270^\circ)$	$(7, 270^\circ)$
d)	$-2 + 3{,}464i$	$(-2, 3{,}464)$	$4(\cos 120^\circ + i \cdot \sin 120^\circ)$	$(4, 120^\circ)$
e)	$4 - 3i$	$(4, -3)$	$5(\cos 323{,}13^\circ + i \cdot \sin 323{,}13^\circ)$	$(5, 323{,}13^\circ)$
f)	$1{,}5 + 0{,}866i$	$(1{,}5, 0{,}866)$	$\sqrt{3}(\cos 30^\circ + i \cdot \sin 30^\circ)$	$(\sqrt{3}, 30^\circ)$
g)	$-15 - 8i$	$(-15, -8)$	$17(\cos 208{,}072^\circ + i \cdot \sin 208{,}072^\circ)$	$(17, 208{,}072^\circ)$
h)	$-3{,}41 - 0{,}0775i$	$(-3{,}41, -0{,}0775)$	$3{,}41(\cos 181{,}3^\circ + i \cdot \sin 181{,}3^\circ)$	$(3{,}41, 181{,}3^\circ)$

697. —

698. a) $(2, 60^\circ)$ **b)** $(15, -15^\circ)$ **c)** $(1, 190^\circ)$ **d)** $(12, 30^\circ)$

699. —

700. a) $(0{,}5, 30^\circ)$ **b)** $(1, 330^\circ)$ **c)** $(7{,}5, 15^\circ)$ **d)** $(6, 329^\circ)$

701. —

702. a) $(\cos 40^\circ + i \cdot \sin 40^\circ)$

b) $(\cos 20^\circ + i \cdot \sin 20^\circ)^4 = (1, 20^\circ)^4 = (1^4, 4 \cdot 20^\circ) = (1, 80^\circ) = \underline{\cos 80^\circ + i \cdot \sin 80^\circ}$

c) $\frac{1}{8}(\cos 16{,}667^\circ + i \cdot \sin 16{,}667^\circ)$

703. **a)** (243, 75°) **b)** (1544,804, 13,2°)
c) $(\frac{1}{64}, 5{,}667°)$ **d)** (0,064, 20′48″)

704. **a)** 8i **b)** 231612 − 102241i
c) −0,0135 − 0,00086i **d)** −0,866 − 0,5i

705. **a)** 32i **b)** − 41 + 840i
c) 0,000021 + 0,000203i **d)** −0,8432 − 0,5376i

706. —

707. 1. Fall :
$k = \alpha n + \beta, \quad \alpha \in \mathbb{N},\ 0 \leqslant \beta \leqslant n-1$
$\psi = \frac{\phi}{n} + (\alpha n + \beta) \cdot \frac{360°}{n} = \underline{\frac{\phi}{n}} + \alpha \cdot 360° + \underline{\beta \cdot \frac{360°}{n}}$
2. Fall :
$k = -\alpha n + \beta, \quad \alpha \in \mathbb{N},\ 0 \leqslant \beta \leqslant n-1$
$\psi = \frac{\phi}{n} + (-\alpha n + \beta) \cdot \frac{360°}{n} = \underline{\frac{\phi}{n}} - \alpha \cdot 360° + \underline{\beta \cdot \frac{360°}{n}}$
Nimmt k die angegebenen Werte an, so unterscheiden sich die Phasen ψ der zugehörigen Wurzeln $\sqrt[n]{(r, \phi)}$ bloß um ganzzahlige Vielfache des vollen Winkels von den ursprünglichen Phasen. Die Wurzeln selbst unterscheiden sich dadurch nicht mehr.

708. **a)** 3,759 + 1,368i, −3,064 + 2,571i, −0,695 − 3,939i
b) 1,879 + 0,684i, −0,684 + 1,879i, −1,879 − 0,684i, 0,684 − 1,879i
c) 2,853 + 0,927i, 3i, −2,853 + 0,927i, −1,763 − 2,427i, 2,427 − 1,763i

709. **a)** 1,992 + 0,174i, 0,845 + 1,813i, −1,147 + 1,638i, −1,992 + 0,174i, −0,845 + 1,813i, 1,147 + 1,638i
b) 0,940 + 0,342i, 0,318 + 0,945i, −0,543 + 0,840i, −0,995 + 0,010i, −0,698 − 0,716i, 0,124 + 0,992i, 1,060 − 1,696i
c) 4,924 + 0,868i, −3,214 + 3,830i, −1,710 − 4,698i
d) 1,941 + 0,484i, 0,140 + 1,995i, −1,854 + 0,749i, −1,286 − 1,532i, 1,060 − 1,696i

710. **a)** 3 + i, −3 − i **b)** 4 + 3i, −4 − 3i
c) −3,536 + 2,121i, 3,536 − 2,121i **d)** −2,457 + 1,018i, 2,457 − 1,018i

711. **a)** 1,629 + 0,520i, −1,265 + 1,151i, −0,364 − 1,671i
b) 1,806 + 0,234i, 0,336 + 1,789i, −1,598 + 0,872i, −1,323 − 1,250i, 0,780 − 1,645i
c) 1,121 + 0,715i, 0,396 + 1,268i, −0,509 + 1,228i, −1,180 + 0,614i, −1,298 + 0,288i, −0,809 − 1,055i, 0,058 − 1,328i, 0,899 − 0,980i, 1,318 − 0,173i
d) 1,152 + 0,769i, 0,484 + 1,313i, −0,380 + 1,348i, −1,100 + 0,867i, −1,399 + 0,055i, −1,164 − 0,778i, −0,485 − 1,313i, 0,380 − 1,348i, 1,099 − 0,867i, 1,399 − 0,055i

712. **a)** 2,598 + 1,5i, 3i, −2,598 + 1,5i, −2,598 − 1,5i, −3i, 2,598 − 1,5i
b) 7,5 + 13i, −15, 7,5 − 13i
c) 0,707 + 0,707i, 0,707 − 0,707i **d)** 0,866 + 0,5i, −0,866 + 0,5i, −i

713. **a)** $\{1,\ -0{,}5+0{,}866i,\ -0{,}5-0{,}866i\}$
b) $\{1,\ 0{,}309+0{,}951i,\ -0{,}809+0{,}588i,\ -0{,}809-0{,}588i,\ 0{,}309-0{,}951i\}$
c) $\{1,\ 0{,}5+0{,}866i,\ -0{,}5+0{,}866i,\ -1,\ -0{,}5-0{,}866i,\ 0{,}5-0{,}866i\}$
d) $\{1,\ 0{,}707+0{,}707i,\ i,\ -0{,}707+0{,}707i,\ -1,\ -0{,}707-0{,}707i,\ -i,\ 0{,}707-0{,}707i\}$

714. **a)** $\{-0{,}798+1{,}741i,\ 3{,}798-1{,}741i\}$
b) $x^2-5x+4i=0$

$$x_{1,2}=\tfrac{5}{2}\pm\sqrt{\tfrac{25}{4}-4i}$$
$$x_{1,2}=\tfrac{5\pm\sqrt{25-16i}}{2}$$

Umformung des Radikanden in Polarkoordinaten:

$$x_{1,2}=\tfrac{5\pm\sqrt{(\sqrt{881},\ 327{,}38^\circ)}}{2}$$
$$x_{1,2}=\tfrac{5\pm(5{,}448,\ 163{,}690^\circ)}{2}$$
$$x_{1,2}=\tfrac{5\pm(-5{,}229,\ 1{,}530i)}{2}$$
$$\underline{x_1=-0{,}114+0{,}765i}$$
$$\underline{x_2=5{,}114-0{,}765i}\qquad \underline{\mathbf{L=\{-0{,}114+0{,}765i,\ \ 5{,}114-0{,}765i\}}}$$

c) $\{1{,}581+1{,}202i,\ -0{,}914-1{,}202i\}$

715. **a)** $\{3-2i,\ 1+i\}$ **b)** $\{1+i,\ i\}$ **c)** $\{-4+2i,\ 1-7i\}$

716. **a)** $\{3+2i,\ 1+4i\}$ **b)** $\{2+i,\ \frac{1+i}{2}\}$ **c)** $\{15{,}832+4{,}532i,\ 0{,}168+1{,}4679i\}$

717. $e^{i\pi}+1=0$

718. **a)** $10e^{i\cdot 53{,}13^\circ}$ bzw. $10e^{i\cdot 0{,}927}$ **b)** $17e^{i\cdot 298{,}07^\circ}$ bzw. $17e^{i\cdot 5{,}202}$
c) $25e^{i\cdot 106{,}26^\circ}$ bzw. $25e^{i\cdot 1{,}855}$ **d)** $41e^{i\cdot 257{,}32^\circ}$ bzw. $41e^{i\cdot 4{,}491}$

719. **a)** $1+i$ **b)** $\sqrt{3+i}$
c) $11{,}534+8{,}787i$ **d)** $1{,}025+2{,}819i$

720. **a)** $0{,}455+0{,}891i$ **b)** $-0{,}747+0{,}665i$
c) $0{,}183-0{,}983i$ **d)** $-0{,}732+0{,}682i$

721. **a)** 0,208 **b)** 4,810
c) 0,009 **d)** 111,318

722. —

723. **a)** $1{,}253+3{,}365i$ **b)** $1{,}609+5{,}356i$
c) $1{,}609+1{,}047i$ **d)** $2{,}565+4{,}318i$

724. **a)** $0{,}436+0{,}453i$ **b)** $0\ (|z|\doteq 10^{-10})$
c) $0\ (|z|\doteq 10^{-14})$ **d)** $-671653{,}178-1204583{,}209i$

725. **a)** $12{,}145-10{,}930i$ **b)** $0\ (|z|\doteq 10^{-5})$
c) $-6061{,}871+10541{,}443i$ **d)** $-80{,}981-371{,}593i$

726. 0,56 ms

727. 30,5 μs

728. 597 mm

729. 2,4 mm

730. $i(0) = 0, i(\tau) = 0{,}63I_0, i(2\tau) = 0{,}86I_0, i(3\tau) = 0{,}95I_0$

731.

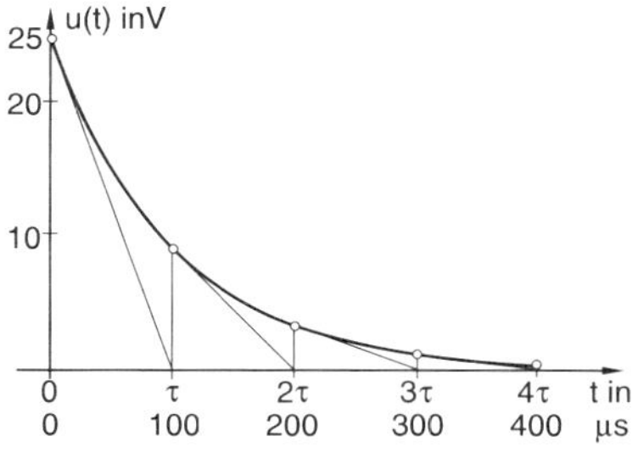

732. 330 nF

733. **a)** $t_1 = \tau \ln 2$

734. **a)** $(202 - j343)\,k\Omega$, $(1{,}27 + j2{,}16)\,\mu S$

b) $Z = (180 + j120) \cdot 10^3 + (270 - j120) \cdot 10^3 = 450 \cdot 10^3$ $\underline{Z = 450\,k\Omega}$

$Y = \frac{1}{450 \cdot 10^3} = \frac{1}{0{,}45} \cdot 10^{-6} = 2{,}22 \cdot 10^{-6}$ $\underline{Y = 2{,}22\,\mu S}$

c) $(21{,}8 - j3{,}4)\,k\Omega$, $(44{,}8 + j6{,}98)\,\mu S$ **d)** $(129 - j120)\,\Omega$, $(4{,}16 + j3{,}87)\,mS$

735. **a)** $(289{,}6 - j53{,}6)\,\Omega$, $(3{,}34 + j0{,}62)\,mS$ **b)** $(1{,}25 - j1{,}5)\,k\Omega$, $(0{,}33 + j0{,}39)\,mS$

c) $(153{,}6 + j138{,}1)\,k\Omega$, $(3{,}60 - j3{,}24)\,\mu S$ **d)** $(4{,}71 + j10{,}29)\,k\Omega$, $(36{,}79 - j80{,}34)\,\mu S$

736. **a)** $(50 + j5)\,\Omega$, $(19{,}8 - j1{,}98)\,mS$ **b)** $(260 + j10)\,\Omega$, $(3{,}84 - j0{,}148)\,mS$

737. **a)** $(4{,}09 - j0{,}315)\,\Omega$, $(0{,}243 + j0{,}0188)\,S$ **b)** $(25{,}26 + j24{,}21)\,\Omega$, $(20{,}63 + j19{,}77)\,mS$

738. **a)** $|Z| = \sqrt{27^2 + 39^2} \cdot 10^3 = 47{,}43 \cdot 10^3$ $\underline{|Z| = 47{,}43\,k\Omega}$

$\tan\phi = \frac{-39 \cdot 10^3}{27 \cdot 10^3} = \frac{-39}{27} = -1{,}4$ $\underline{\phi = -55{,}30°}$

b) $503{,}3\,\Omega, 69{,}04°$

c) $17{,}1\,M\Omega, 61{,}34°$ **d)** $6808\,\Omega, -2{,}78°$

739. **a)** $15\,k\Omega, -90°$ **b)** $66{,}47\,k\Omega, 45°$

c) $3{,}3\,\Omega, 90°$ **d)** $82\,k\Omega, 0°$

740. **a)** $Z = \frac{1}{j\omega c} + \frac{1}{\frac{1}{R} + \frac{1}{j\omega L}} = \frac{-j}{\omega C} + \frac{j\omega RL}{R + j\omega L} = \frac{-j}{\omega C} + \frac{j\omega RL(R - j\omega L)}{R^2 + \omega^2 L^2} = \frac{-j}{\omega C} + \frac{j\omega R^2 L + \omega^2 RL^2}{R^2 + \omega^2 L^2}$

$\underline{Z = j \cdot \frac{\omega^2 RL^2}{R^2 + \omega^2 L^2} + j\left(\frac{\omega R^2 L}{R^2 + \omega^2 L^2} - \frac{1}{\omega C}\right)}$

b) $Z = \frac{\omega^4 RL^2 C^2}{(1 - \omega^2 LC)^2 + (\omega RC)^2} + j \cdot \frac{\omega L\,(1 + \omega^2 C\,(R^2 C - L))}{(1 - \omega^2 LC)^2 + (\omega RC)^2}$

c) $Z = \frac{R_2 + \omega^2 R_1 R_2\,(R_1 + R_2)\,C^2 + \omega^4 R_1 L^2 C^2}{(1 - \omega^2 LC)^2 + \omega^2 C^2\,(R_1 + R_2)^2} + j \cdot \frac{\omega\,(L - R_2^2 C + \omega^2 LC\,(R_1^2 C - L))}{(1 - \omega^2 LC)^2 + \omega^2 C^2\,(R_1 + R_2)^2}$

d) $Z = \frac{RC_2^2\,(1 - \omega^2 LC_1)^2}{\omega^2 R^2 C_1^2 C_2^2 + (C_1 + C_2 - \omega^2 LC_1 C_2)^2} - j \cdot \frac{C_1 + C_2 - \omega^2 C_1\,(L\,(2C_2 + C_1) - R^2 C_2^2) + \omega^4 LC_1^2 C_2\,(L - R^2 C_2)}{\omega^3 R^2 C_1^2 C_2^2 + \omega\,(C_1 + C_2 - \omega^2 LC_1 C_2)^2}$

741. **a)** $Z = \frac{\omega^2 RL_1^2}{R^2+\omega^2 L_1^2} + j\,(\omega L_2 - \frac{1}{\omega C} + \frac{\omega R^2 L_1}{R^2+\omega^2 L_1^2})$

b) $Z = Z_{C_1} + Z_{L_1} + (Z_{L_2}||Z_{C_2}) = \frac{1}{j\omega C_1} + j\omega L_1 + \frac{1}{\frac{1}{j\omega L_2}+\frac{1}{\frac{1}{j\omega C_2}}} = \frac{-j}{\omega C_1} + j\omega L_1 + \frac{1}{\frac{1}{j\omega L_2}+j\omega C_2} =$

$= j\,(\omega L_1 - \frac{1}{\omega C_1}) + \frac{j\omega L_2}{1-\omega^2 L_2 C_2}$ $\underline{Z = j\cdot(\omega L_1 - \frac{1}{\omega C_1} + \frac{\omega L_2}{1-\omega^2 L_2 C_2})}$

c) $Z = R_2 + \frac{\omega^2 R_1 L^2}{R_1^2\,(1-\omega^2 LC)^2+\omega^2 L^2} + j\cdot\frac{\omega R_1^2 L\,(1-\omega^2 LC)}{R_1^2\,(1-\omega^2 LC)^2+\omega^2 L^2}$

d) $Z = \frac{RC_1^2}{\omega^2 R^2 C_1^2 C_2^2+(C_1+C_2-\omega^2 LC_1C_2)^2} - j\cdot\frac{C_1+C_2-\omega^2 C_1\,(L\,(2C_2+C_1)-R^2C_1C_2)+\omega^4 L^2 C_1^2 C_2}{\omega^3 R^2 C_1^2 C_2^2+\omega\,(C_1+C_2-\omega^2 LC_1C_2)^2}$

742. **a)** $Z = Z_R||Z_C = \frac{1}{\frac{1}{R}+\frac{1}{\frac{1}{j\omega C}}} = \frac{1}{\frac{1}{R}+j\omega C} = \frac{R}{1+j\omega RC} = \frac{R\,(1-j\omega RC)}{1+(\omega RC)^2}$

$|Z| = \frac{R}{1+(\omega RC)^2}\sqrt{1+(\omega RC)^2} = \frac{R}{\sqrt{1+(\omega RC)^2}} = \frac{10^4}{\sqrt{1+(2\pi\cdot 10^3\cdot 10^4\cdot 2{,}2\cdot 10^{-6})^2}} =$

$= \frac{10^4}{\sqrt{1+(44\pi)^2}} = 72{,}34$

$\tan\phi = \frac{-\omega RC}{1} = -\omega RC = -2\pi\cdot 10^3\cdot 10^4\cdot 2,2\cdot 10^{-6} = -44\pi = -138,23$

$\phi = -89{,}6°$ $\underline{Z = (72{,}34\,\Omega,\ -89{,}6°)}$

b) $(2{,}097\,\mathrm{k\Omega},\ 68{,}0°)$

c) $(151{,}4\,\mathrm{k\Omega},\ 7{,}87°)$ **d)** $(1\,\mathrm{M\Omega},\ -14'')$

743. **a)** $Z = R + j\,(\omega L - \frac{1}{\omega C})$ **b)** $\omega_0 = \frac{1}{\sqrt{LC}}$

744. **a)** $Z = \frac{\omega^2 RL^2}{R^2\,(1-\omega^2 LC)^2+\omega^2 L^2} + j\cdot\frac{\omega R^2 L\,(1-\omega^2 LC)}{R^2\,(1-\omega^2 LC)^2+\omega^2 L^2}$ **b)** $\omega_0 = \frac{1}{\sqrt{LC}}$

745. **a)**

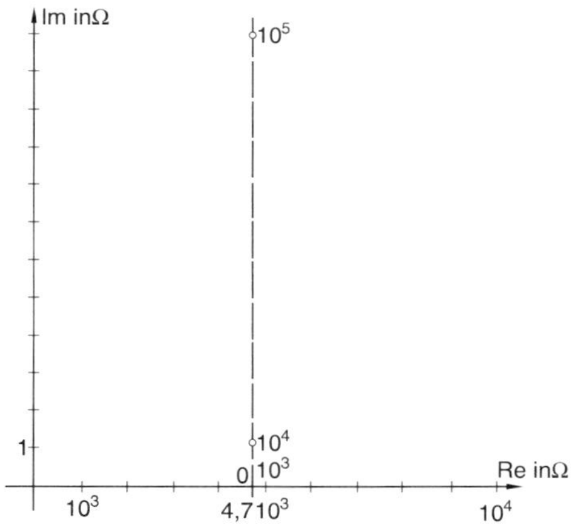

746. $32{,}45\,\mathrm{k\Omega},\ 8169{,}9\,\mathrm{s^{-1}}$

747. a)

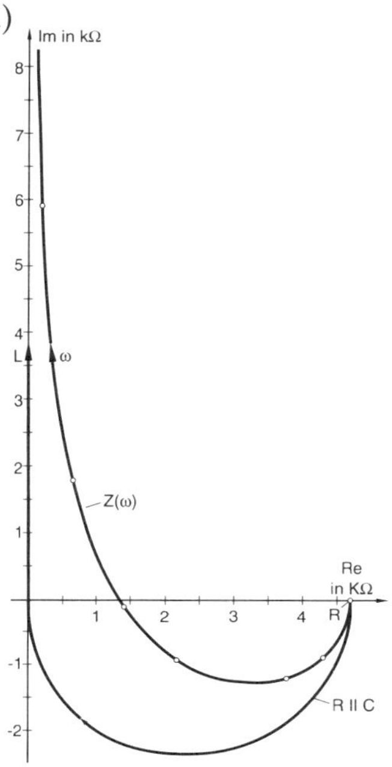

b)

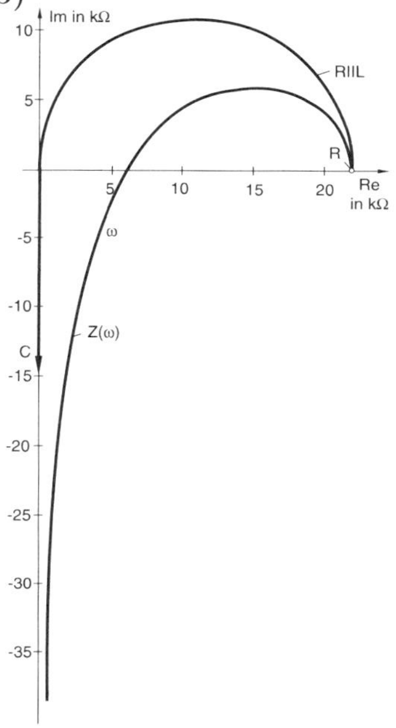

c)

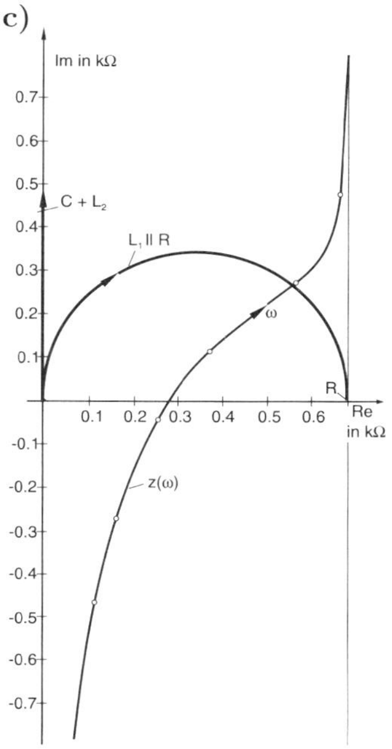

748. 101,6 Ω, 3,23 kΩ, 3,23 kΩ

749. 212,2 Ω, 212,2 Ω, 212,2 Ω

750. 2 Lösungen: (1) $C_1(8,8), D_1(1,5), A_1 = 40$ (2) $C_2(8,-6), D_2(1,-9), A_2 = 58$

751. $A\,(5,0), B\,(1{,}545, 4{,}755), C\,(-4{,}045, 2{,}939), D\,(-4{,}045, -2{,}939), E\,(1{,}545, -4{,}755)$

752. 2 Lösungen: (1) $D_1\,(3,14)$, (2) $D_2\,(-7,14)$

753. **a)** 2 Lösungen: (1) $B_1\,(2,40)$, (2) $B_2\,(2,-30)$

b) 2 Lösungen: (1) $B_1\,(50,4)$, (2) $B_2\,(-40,4)$

c) 2 Lösungen: (1) $A_1\,(27,-16)$, (2) $A_2\,(7,-16)$

d) 2 Lösungen: (1) $A_1\,(10,22)$, (2) $A_2\,(10,-8)$

754. 2 Lösungen: (1) $P_1\,(7,0)$, (2) $P_2\,(-17,0)$

755. $P\,(0,y):$ $\quad |\overrightarrow{BP}|^2 = 13^2$

$$12^2 + (3-y)^2 = 13^2$$

$$y^2 - 6y + 153 = 169$$

$$y^2 - 6y - 16 = 0$$

$$y_{1,2} = 3 \pm \sqrt{25}$$

$$\underline{y_1 = 8} \qquad \underline{P_1\,(0,8)}$$

$$\underline{y_2 = -2} \qquad \underline{P_2\,(0,-2)}$$

756. D $(-14, 3)$

757. **a)** 2 Lösungen: (1) $\begin{pmatrix}10\\24\end{pmatrix}$, (2) $\begin{pmatrix}-10\\-24\end{pmatrix}$

b) 2 Lösungen: (1) $\begin{pmatrix}11{,}2\\-6{,}6\end{pmatrix}$, (2) $\begin{pmatrix}-11{,}2\\6{,}6\end{pmatrix}$

c) 2 Lösungen: (1) $\begin{pmatrix}-2\\2\end{pmatrix}$, (2) $\begin{pmatrix}2\\-2\end{pmatrix}$

758. **a)** $\overrightarrow{AB} = \begin{pmatrix}15\\20\end{pmatrix} = 5 \cdot \begin{pmatrix}3\\4\end{pmatrix}$

$|\overrightarrow{AB}| = 5\sqrt{9+16} = 25$

$\overrightarrow{a_0} = \frac{1}{5}\begin{pmatrix}3\\4\end{pmatrix}$

$\overrightarrow{0E} = \overrightarrow{0A} + 15\overrightarrow{a_0} = \begin{pmatrix}-4\\-12\end{pmatrix} + 3\begin{pmatrix}3\\4\end{pmatrix} = \begin{pmatrix}5\\0\end{pmatrix}$ $\underline{\mathbf{E\,(5{,}0)}}$

b) E $(4{,}616,\ 2{,}692)$ **c)** E $(101, -13)$ **d)** E $(4{,}487, -2{,}162)$

759. A(8,5), B(–8,7), C(0,–1), D(16,–3)

760. $\overrightarrow{AB} = \begin{pmatrix}8\\-24\end{pmatrix} = 8\begin{pmatrix}1\\-3\end{pmatrix}$

$\overrightarrow{a_0} = \frac{1}{\sqrt{10}}\begin{pmatrix}1\\-3\end{pmatrix}$

$\overrightarrow{0C} = \overrightarrow{0D} + \sqrt{10}\overrightarrow{a_0} = \begin{pmatrix}3\\8\end{pmatrix} + \begin{pmatrix}1\\-3\end{pmatrix} = \begin{pmatrix}4\\5\end{pmatrix}$ $\underline{\mathbf{C\,(4, 5)}}$

761. C(0,–13)

762. **a)** $T_i\,(8, 3)$ **b)** $\overrightarrow{0T_i} = \overrightarrow{0A} + \frac{7}{9}\overrightarrow{AB} = \begin{pmatrix}14\\29\end{pmatrix} + \frac{7}{9}\begin{pmatrix}-45\\-27\end{pmatrix} = \begin{pmatrix}-21\\8\end{pmatrix}$ $\underline{\mathbf{T_i\,(-21, 8)}}$

c) $T_i\,(-4, 12)$ **d)** $T_i\,(18{,}7, -7{,}3)$

763. **a)** $T_a\,(34, -23)$ **b)** $T_a\,(9, -2)$

c) $\overrightarrow{0T_a} = \overrightarrow{0A} + \frac{10}{7}\overrightarrow{BA} = \begin{pmatrix}4\\-10\end{pmatrix} + \frac{10}{7}\begin{pmatrix}7\\-14\end{pmatrix} = \begin{pmatrix}14\\-30\end{pmatrix}$ $\underline{\mathbf{T_a\,(14, -30)}}$

d) $T_a\,(2{,}5,\ 12{,}5)$

764. **a)** 4:3 (äußere Teilung) **b)** 3:4 (innere Teilung)

765. $U_{PQRS} : U_{ABCD} = 1:1{,}4239$

766. **a)** –1 **b)** 6 **c)** –70 **d)** 51

767. **a)** 0 **b)** $\begin{pmatrix}7\\8\end{pmatrix}$ **c)** 102

d) $c\,(t+s) = \begin{pmatrix}4\\3\end{pmatrix}(0-2) = \underline{\begin{pmatrix}-8\\-6\end{pmatrix}}$

768. —

769. **a)** 22,286° **b)** 50,102°

c) $\cos\phi = \frac{\begin{pmatrix}8\\-6\end{pmatrix}\begin{pmatrix}3\\5\end{pmatrix}}{\left|\begin{pmatrix}8\\-6\end{pmatrix}\right|\left|\begin{pmatrix}3\\5\end{pmatrix}\right|} = \frac{24-30}{\sqrt{64+36}\sqrt{9+25}} = \frac{-6}{10\sqrt{34}}$ **d)** 55,176°

$\phi = \arccos\frac{-3}{5\sqrt{34}} = 95{,}906°$ $\underline{\phi = \mathbf{95{,}906°}}$

770. a) $\alpha = 88{,}21^\circ, \beta = 36{,}03^\circ, \gamma = 55{,}76^\circ$ **b)** $\alpha = 53{,}13^\circ, \beta = 63{,}345^\circ, \gamma = 63{,}345^\circ$

c) $\alpha = 59{,}04^\circ, \beta = 90^\circ, \gamma = 30{,}96^\circ$

d) $\cos\alpha = \frac{\overrightarrow{AB} \cdot \overrightarrow{AC}}{|\overrightarrow{AB}|\,|\overrightarrow{AC}|} = \frac{\binom{5}{-5}\binom{4}{1}}{\sqrt{50}\sqrt{17}} = \frac{20-5}{5\sqrt{2}\sqrt{17}} = \frac{3}{\sqrt{2}\sqrt{17}}$ $\underline{\alpha = \mathbf{59{,}036^\circ}}$

$\cos\beta = \frac{\overrightarrow{BA} \cdot \overrightarrow{BC}}{|\overrightarrow{BA}|\,|\overrightarrow{BC}|} = \frac{\binom{-5}{5}\binom{-1}{6}}{\sqrt{50}\sqrt{37}} = \frac{5+30}{5\sqrt{2}\sqrt{37}} = \frac{7}{\sqrt{74}}$ $\underline{\beta = \mathbf{35{,}538^\circ}}$

$\cos\gamma = 180^\circ - \alpha - \beta = 85{,}426^\circ$ $\underline{\gamma = \mathbf{85{,}426^\circ}}$

771. —

772. Quadrat, A = 18

773. Rechteck, A = 24

774. a) $\overrightarrow{n_l} = \binom{-9}{-3}$, $\overrightarrow{n_r} = \binom{9}{3}$ **b)** $\overrightarrow{n_l} = \binom{2}{\sqrt{2}}$, $\overrightarrow{n_r} = \binom{-2}{-\sqrt{2}}$

c) $\overrightarrow{n_l} = \binom{-13}{18}$, $\overrightarrow{n_r} = \binom{13}{-18}$ **d)** $\overrightarrow{n_l} = \binom{0{,}1}{-0{,}3}$, $\overrightarrow{n_r} = \binom{-0{,}1}{0{,}3}$

775. 2 Lösungen: (1) $C_1\,(2, 0), D_1\,(0, 2)$ (2) $C_2\,(0, -2), D_2\,(-2, 0)$

776. $\overrightarrow{0M} = \frac{1}{2}\,(\overrightarrow{0A} + \overrightarrow{0C}) = \frac{1}{2}\left[\binom{2}{2} + \binom{6}{6}\right] + \binom{4}{4}$ $\underline{M\,(4, 4)}$

$\overrightarrow{MA} = \binom{2}{2}$

$\overrightarrow{MB} = \binom{-2}{2}$; $\overrightarrow{0B} = \overrightarrow{0M} + \overrightarrow{MB} = \binom{4}{4} + \binom{-2}{2} = \binom{2}{6}$ $\underline{\mathbf{B\,(2, 6)}}$

$\overrightarrow{MD} = \binom{2}{-2}$; $\overrightarrow{0D} = \overrightarrow{0M} + \overrightarrow{MD} = \binom{4}{4} + \binom{2}{-2} = \binom{6}{2}$ $\underline{\mathbf{D\,(6, 2)}}$

777. B(−0,5, −2,5), D(−3,5, 6,5)

778. $\overrightarrow{AC} = \binom{3}{1}$; $\overrightarrow{n_l} = \binom{-1}{3}$

$\overrightarrow{CB}_1 = 2\binom{-1}{3} = \binom{-2}{6}$; $\overrightarrow{0B}_1 = \overrightarrow{0C} + \overrightarrow{CB}_1 = \binom{-1}{3} + \binom{-2}{6} = \binom{-3}{9}$ $\underline{\mathbf{B_1\,(-3, 9)}}$

$\overrightarrow{CB}_2 = \binom{2}{-6}$; $\overrightarrow{0B}_2 = \overrightarrow{0C} + \overrightarrow{CB}_2 = \binom{-1}{3} + \binom{2}{-6} = \binom{1}{-3}$ $\underline{\mathbf{B_2\,(1, -3)}}$

779. 2 Lösungen: (1) $C_1\,(5{,}46, 6{,}93)$, (2) $C_2\,(-1{,}46, -6{,}93)$

780. 2 Lösungen: (1) $C_1\,(6, 2)$, (2) $C_2\,(-4, -8)$

781. B (−8, −8), C (−2, −6), D (0, 0)

782. B (−13, −8), C (2, −1), D (0, 5)

783. 2 Lösungen: (1) $X_1\,(6, 0)$, (2) $X_2\,(-1, 0)$

784. a) 44 **b)** −75,99 **c)** −100 **d)** 49

785. a) 46 **b)** 8 **c)** 30 **d)** 44

786. a) 17 **b)** 15 **c)** 12 **d)** 28,5

787. a) 30 **b)** 15

788. **a)** falsch **b)** falsch **c)** wahr **d)** wahr
e) falsch **f)** falsch **g)** wahr **h)** wahr

789. **a)** 7,35 **b)** 17,75 **c)** 16,16 **d)** 3,74

790. **a)** 11,18 **b)** 3 **c)** 7 **d)** 8,30

791. **a)** 14 **b)** 18 **c)** 14 **d)** $15\sqrt{5}$

792. **a)** $\frac{1}{6}\begin{pmatrix}-2\\4\\1\end{pmatrix}$ **b)** $\frac{1}{5}\begin{pmatrix}-10\\14\\-5\end{pmatrix}$ **c)** $\frac{1}{7}\begin{pmatrix}-21\\5\\3\end{pmatrix}$ **d)** $\frac{1}{4}\begin{pmatrix}1\\1\\2\end{pmatrix}$

793. **a)** $\begin{pmatrix}31\\-8\\19\end{pmatrix}$ **b)** $\begin{pmatrix}11\\10\\-50\end{pmatrix}$ **c)** $\begin{pmatrix}39\\57\\-90\end{pmatrix}$ **d)** $\frac{1}{20}\begin{pmatrix}119\\-33\\34\end{pmatrix}$

794. **a)** $\frac{1}{13}\begin{pmatrix}-4\\12\\3\end{pmatrix}$ **b)** $\frac{1}{7}\begin{pmatrix}3\\-2\\6\end{pmatrix}$ **c)** $\frac{1}{3}\begin{pmatrix}2\\-1\\2\end{pmatrix}$ **d)** $\frac{1}{5}\begin{pmatrix}4\\0\\-3\end{pmatrix}$

795. $C(10,\ -9,\ 6)$, $M_a(-2,\ 4,\ 6)$, $M_b(7,\ -6,\ 8)$, $M_c(4,\ -2,\ 2)$, $M_d(-5,\ 8,\ 0)$

796. **a)** $S(-1,\ 4,\ -3)$ **b)** $S(1,\ 5,\ -2)$

797. **a)** $\vec{a} \not\perp \vec{b}$ **b)** $\vec{a} \perp \vec{b}$
c) $\vec{a}\cdot\vec{b} = \begin{pmatrix}7\\-3\\4\end{pmatrix}\begin{pmatrix}-7\\-3\\10\end{pmatrix} = -49+9+40 = 0,\ \underline{\vec{a}\perp\vec{b}}$ **d)** $\vec{a} \perp \vec{b}$

798. **a)** $\begin{pmatrix}5\\2\\-17\end{pmatrix}$ **b)** $\begin{pmatrix}2\\-10\\3\end{pmatrix}\times\begin{pmatrix}-4\\2\\-1\end{pmatrix} = \begin{pmatrix}10-3\cdot2\\-(-2+3\cdot4)\\2\cdot2-10\cdot4\end{pmatrix} = \underline{\begin{pmatrix}4\\-10\\-36\end{pmatrix}}$
c) $\begin{pmatrix}-14\\-11\\34\end{pmatrix}$ **d)** $\begin{pmatrix}3\\-7\\5\end{pmatrix}$ **e)** $\begin{pmatrix}102\\-167\\-47\end{pmatrix}$ **f)** $\begin{pmatrix}20\\43\\-9\end{pmatrix}$

799. **a)** $\sqrt{2}$ **b)** 37,75 **c)** $\begin{pmatrix}4\\2\\-2\end{pmatrix}\times\begin{pmatrix}-2\\-1\\1\end{pmatrix} = \begin{pmatrix}0\\0\\0\end{pmatrix}$ $\underline{A = 0}$
d) 112,6

800. **a)** 4,47 **b)** 14,1 **c)** 5,6 **d)** 19,7

801. **a)** 240,8 **b)** 130,9

c) $\overrightarrow{0E} = \overrightarrow{0B} + \overrightarrow{CD}$ $A = A_{AED} + A_{EBCD}$

$\overrightarrow{AB} = \begin{pmatrix}-2\\8\\16\end{pmatrix}$ $|\overrightarrow{AB}| = 2\sqrt{1+9+64} = 2\sqrt{74}$ $\overrightarrow{EB} = \frac{9}{\sqrt{74}}\begin{pmatrix}-1\\4\\8\end{pmatrix}$

$\overrightarrow{AE} = (2\sqrt{74}-9)$ $\overrightarrow{AB_0} = \frac{2\sqrt{74}-9}{\sqrt{74}} = \begin{pmatrix}-1\\4\\8\end{pmatrix}$ $\overrightarrow{AD} = \begin{pmatrix}8\\1\\27\end{pmatrix}$

$$A_{AED} = \frac{1}{2}|\overrightarrow{AE}\times\overrightarrow{AD}| = \frac{1}{2}\cdot\frac{2\sqrt{74}-9}{\sqrt{74}}\cdot\begin{pmatrix}-1\\4\\8\end{pmatrix}\times\begin{pmatrix}8\\1\\27\end{pmatrix} = \frac{2\sqrt{74}-9}{2\sqrt{74}}\cdot\begin{pmatrix}100\\91\\-33\end{pmatrix} =$$
$$= \frac{2\sqrt{74}-9}{2\sqrt{74}}\sqrt{19370}$$

$$A_{EBCD} = |\overrightarrow{EB}\times\overrightarrow{AD}| = \frac{9}{74}\sqrt{19370} = \frac{18}{2\sqrt{74}}\sqrt{19370}$$

$$A = \frac{2\sqrt{74}-9+18}{2\sqrt{74}}\sqrt{19370} = \frac{2\sqrt{74}+9}{2\sqrt{74}}\sqrt{19370} = 211{,}98 \qquad \underline{\mathbf{A = 212}}$$

d) 88,6

802. **a)** $\begin{pmatrix} 42 \\ 3 \\ -24 \end{pmatrix}$ **b)** $\begin{pmatrix} -132 \\ -78 \\ 48 \end{pmatrix}$ **c)** $\begin{pmatrix} -6 \\ -5 \\ 8 \end{pmatrix}$

d) $(\vec{a} \times \vec{b}) \cdot \vec{c} = \left[\begin{pmatrix} 1 \\ 2 \\ 2 \end{pmatrix} \times \begin{pmatrix} 3 \\ -2 \\ 5 \end{pmatrix}\right] \begin{pmatrix} -2 \\ 4 \\ 1 \end{pmatrix} = \begin{pmatrix} 14 \\ 1 \\ -8 \end{pmatrix} \begin{pmatrix} -2 \\ 4 \\ 1 \end{pmatrix} = -28 + 4 - 8 = \underline{\mathbf{-32}}$

e) $\begin{pmatrix} 14 \\ 1 \\ -8 \end{pmatrix}$ **f)** $\begin{pmatrix} -14 \\ -1 \\ 8 \end{pmatrix}$ **g)** $\begin{pmatrix} 33 \\ 2 \\ 58 \end{pmatrix}$ **h)** $\begin{pmatrix} 42 \\ -52 \\ 31 \end{pmatrix}$

803. —

804. **a)** $x_1 = 6,\ y_2 = 5,\ z_2 = -1$ **b)** $x_2 = 1,\ y_1 = -1,\ z_2 = 0$

c) $x_2 = 1,\ y_1 = 4,\ z_1 = 8$ **d)** $x_1 = 3,\ y_2 = 1,\ z_1 = -3$

805. **a)** $5976 \cdot \vec{k}$ Nm **b)** $6896 \cdot \vec{k}$ Nm **c)** $5750 \cdot \vec{k}$ Nm

806. **a)** $\begin{pmatrix} -41 \\ 92 \\ -27 \end{pmatrix}$ Nm **b)** $\begin{pmatrix} 88 \\ 44 \\ -36 \end{pmatrix}$ Nm **c)** $\begin{pmatrix} 251 \\ -244 \\ 57 \end{pmatrix}$ Nm **d)** $\begin{pmatrix} 206 \\ 309 \\ -103 \end{pmatrix}$ Nm

807. **a)** $\begin{pmatrix} 45 \\ 90 \\ 143 \end{pmatrix}$ Nm **b)** $\begin{pmatrix} -61 \\ 22 \\ 157 \end{pmatrix}$ Nm **c)** $\begin{pmatrix} 216 \\ 729 \\ 134 \end{pmatrix}$ Nm **d)** $\begin{pmatrix} -489 \\ 201 \\ -568 \end{pmatrix}$ Nm

808. 71307 N

809. 150077 N

810. parallel zu $\vec{r}$

811. **a)** $2{,}43 \cdot 10^{-4}$kg **b)** $2{,}03 \cdot 10^{-4}$kg

c) $1{,}07 \cdot 10^{-4}$kg **d)** $1{,}14 \cdot 10^{-4}$kg

812. $\omega = \frac{4\pi}{3} \begin{pmatrix} \sin\alpha \\ 0 \\ -\cos\alpha \end{pmatrix}$

813. **a)** $\begin{pmatrix} -0{,}24 \\ 0 \\ 0 \end{pmatrix}$ N **b)** $\begin{pmatrix} -0{,}52 \\ 0 \\ 0 \end{pmatrix}$ N **c)** $\begin{pmatrix} -0{,}3 \\ 0{,}36 \\ 0 \end{pmatrix}$ N **d)** $\begin{pmatrix} 0 \\ 0 \\ 0 \end{pmatrix}$ N

814. **a)** 30,34° **b)** 35,26° **c)** 113,23° **d)** 76,49°

815. **a)** 78672,2 **b)** 34435 **c)** 12633,7 **d)** 36792,5

816. 24,6

817. **a)** 218,94 **b)** 56,29 **c)** 133,22 **d)** 81,08

818. —

819. —

820. $-252\,\vec{i} + 207\,\vec{j} - 24\,\vec{k}$

821. 23

822. **a)** –3072 **b)** 843 **c)** 336 **d)** –126

823. **a)** 5633 **b)** 23752 **c)** 22860 **d)** 1498

824. —

825. a) $y = 10 - x$ **b)** $y = \frac{111-5x}{7}$ **c)** $y = 2 \pm \sqrt{x - 12}$

d) $y = x + 15$ **e)** $y = \pm\sqrt{r^2 - x^2}$ **f)** $y = \pm\frac{b}{a}\sqrt{a^2 - x^2}$

826. a) $f : t \mapsto \begin{cases} x = t^2 \\ y = 4t + \frac{t^2}{2} \end{cases}$ **b)** $f : t \mapsto \begin{cases} x = t^3 \\ y = \frac{t^6}{3} + t \end{cases}$ **c)** $f : t \mapsto \begin{cases} x = t \\ y = \frac{t^2}{2} - \frac{1}{t} \end{cases}$

d) $f : t \mapsto \begin{cases} x = \ln t \\ y = t \end{cases}$ **e)** $f : t \mapsto \begin{cases} x = e^t \\ y = t(t+1) \end{cases}$ **f)** $f : t \mapsto \begin{cases} x = \sqrt[3]{t+5} \\ y = \sin t \end{cases}$

827. —

828. —

829. c)

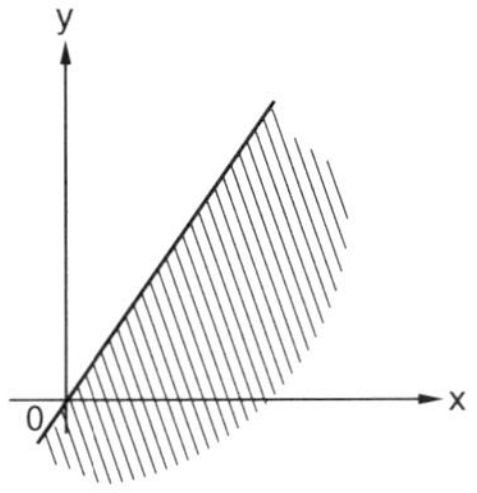

830. b)

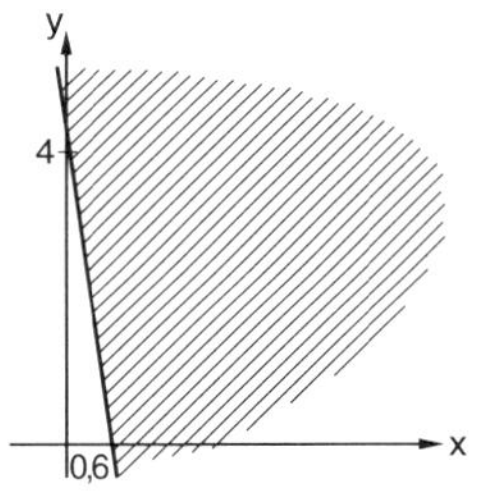

831. a) $2x - 3y > -6$ **b)** $x + y > 0$ **c)** $y < 2$

832. a) $5x - 2y \geqslant -10$ **b)** $x - 3y \leqslant 6$ **c)** $x \geqslant 3$

833. a) $x - y \geqslant -5$ **b)** $4x + 3y \leqslant -6$ **c)** $5x - 9y \geqslant 17$

834. a) $5x + 6y \geqslant 15$ **b)** $2x - y \geqslant 3$ **c)** $5x - 3y \geqslant -11$

835. a)

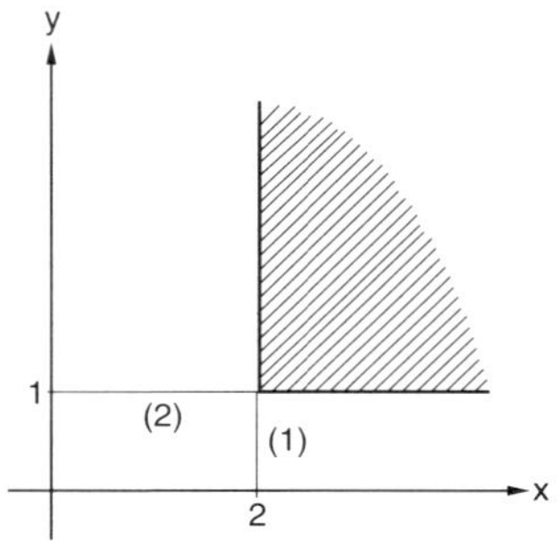

c)

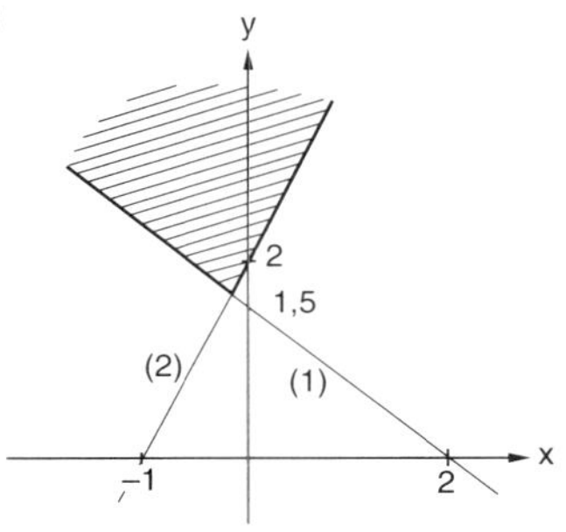

836. c)

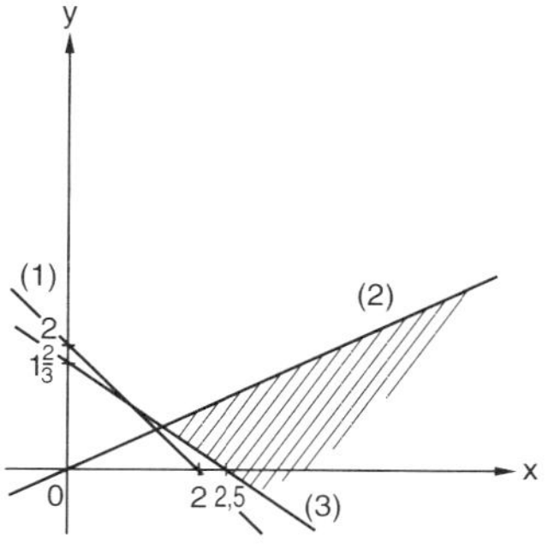

837. c)

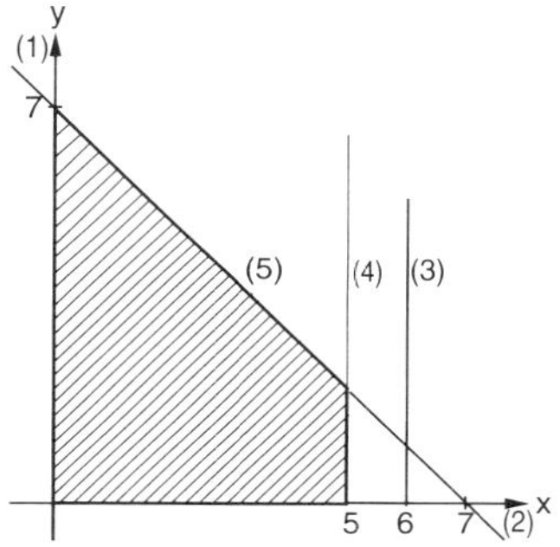

838. a) $Z = 4x - y + 20 \Rightarrow y = 4x + 20 - Z$

$$(1)\ y = -\tfrac{8}{7}x + 8 \qquad (3)\ y = -\tfrac{1}{2}x + \tfrac{17}{2}$$

$$\underline{(2)\ y = \tfrac{2}{7}x + 3} \qquad \underline{(4)\ y = \tfrac{3}{4}x - \tfrac{21}{4}}$$

$$-\tfrac{8}{7}x + 8 = \tfrac{2}{7}x + 3 \qquad -\tfrac{1}{2}x + \tfrac{17}{2} = \tfrac{3}{4}x - \tfrac{21}{4}$$

$$\underline{x = \tfrac{7}{2}} \quad \underline{y = 4} \qquad \underline{x = 11} \quad \underline{y = 3}$$

$$\underline{Z_{min} = 30} \qquad \underline{Z_{max} = 61}$$

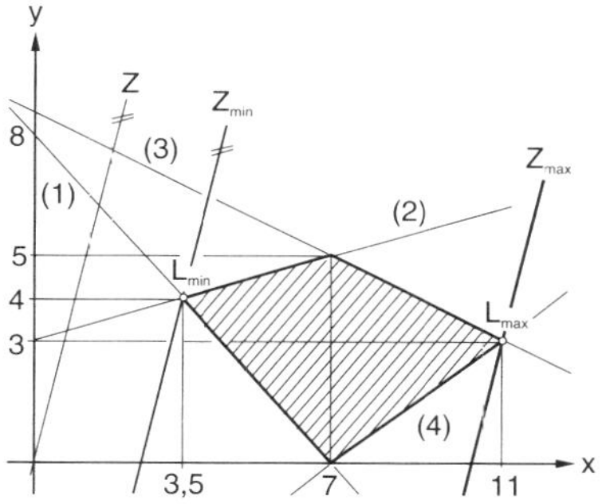

b) $Z_{min} = 13, Z_{max} = 24$

c) $Z_{min} = 31, Z_{max} = 73$

839. a) $Z_{min} = 7, Z_{max} = 15$

b) $Z_{min} = 82$, kein Z_{max}

c) $Z_{min} = 26, Z_{max} = 40$

840. 37,5 ha Weizen, 7,5 ha Zuckerrüben, maximaler Gewinn 15 750,— Euro

841. 6 Stück A, 14 Stück B, maximaler Gewinn 2 380,— Euro

842. 40 Stück A, 20 Stück B, maximaler Gewinn 1 600,— Euro

843. 500 Stück A, 300 Stück B, minimale Kosten 370,— Euro

844. 550 Stück A, 550 Stück B, maximaler Gewinn 16 500,— Euro

845. 90 Stück A, 60 Stück B, maximale Stückzahl 150 Stück

846. 90 Stück A, 30 Stück B, maximaler Gewinn 15 000,— Euro

847. 4 Stück A, 6 Stück B, maximaler Gewinn 700,— Euro

848. 400 g A, 100 g B, minimale Kosten 1,80 Euro

849. 200 kg Legierung I, 100 kg Legierung II, minimale Kosten 2 550,— Euro

850. Kunde A: 22 hl aus Lager L_2, Kunde B: 10 hl aus Lager L_1 und 23 hl aus Lager L_2, Kunde C: 58 hl aus Lager L_1, minimale Transportkosten 470,10 Euro

851. 1 $m^3 G_1$, minimale Kosten 8,— Euro

852. 600 ME A, 200 ME B, minimale Kosten 2 800,— Euro

853. 90 Einheiten H_1, maximaler Heizwert 270 000 kJ/m^3

854. 666 Stück Sorte I, 1000 Stück Sorte II, 834 Stück Sorte III, maximaler Gewinn 24 664,— Euro

855. Baustoffhandlung A: 20 t aus Lager L_1 und 10 t aus Lager L_2,
Baustoffhandlung B: 40 t aus Lager L_2,
Baustoffhandlung C: 30 t aus Lager L_1, minimale Transportkosten 340,— Euro

856. Kunde K_1: 5 t aus Lager L_1 und 75 t aus Lager L_2, Kunde K_2: 40 t aus Lager L_1, Kunde K_3: 45 t aus Lager L_1, minimale Transportkosten 1 327,50 Euro

857. 14 000 Farbfernsehgeräte, 8 000 Radiorekorder, maximaler Gewinn 1 000 000,— Euro

858. a) Busunternehmen X: 300 Personen in 12 Bussen,
Busunternehmen Y: 100 Personen in 5 Bussen, 17 Reiseleiter
b) Busunternehmen X: 150 Personen in 6 Bussen,
Busunternehmen Y: 260 Personen in 13 Bussen, minimale Kosten 6 900,— Euro

859. a) 811,67 Euro b) 840,50 Euro c) 865,10 Euro

860. a) 1195,39 Euro b) 1203,53 Euro c) 1207,74 Euro

861. a) 986,42 Euro b) 987,18 Euro c) 987,60 Euro

862. a) 1249,52 Euro b) 1730,10 Euro

863. a) 1469,69 Euro b) 1403,14 Euro c) 1392,70 Euro

864. a) 1643,85 Euro b) 1640,70 Euro c) 1639,09 Euro

865. a) 2207,05 Euro b) 2205,77 Euro c) 2205,12 Euro

866. a) 2 % p. a. b) 2,5 % p. a.

867. a) 2,5 % p. a. b) 2 % p. a.

868. a) 1,5 % p. a. b) 2 % p. a.

869. a) 3,92592 % p. a. b) 3,05955 % p. a.

870. a) 4 Jahre b) 7 Jahre

871. a) 2 Jahre b) 2 Jahre und 6 Monate

872. a) 20 Jahre 1 Monat 23 Tage b) 17 Jahre 8 Monate 1 Tag

873. 2428,81 Euro

874. **a)** Angebot B **b)** Angebot A

875. 5040,52 Euro

876. 3507,05 Euro

877. 1131,44 Euro

878. 2210,30 Euro

879. 23 Zahlungen à 4000,— Euro, Restbetrag 1050,07 Euro

880. 3528,34 Euro

881. 14 Jahresraten à 5000,— Euro, Restbetrag 698,38 Euro

882. 600,75 Euro

883. **a)** 435652,10 Schilling **b)** bis Anfang 2015 **c)** 2271,95 Euro

884. 318 704,59 Euro

885. 68 237,57 Euro

886. nach 6 Jahren

887. 5 % p. a.

888. 30 000,— Euro

889. **a)** 30 031,13 Euro **b)** 5 % p.a.

890. **a)** 13 Jahre **b)** 99,41 Euro

891. 17 Zahlungen, 893,56 Euro

892. 8 400,— Euro

893. **a)** 31. Dezember 2023 **b)** 20 936,88 Euro

894. **a)** 367,47 Euro **b)** 598,81 Euro

895. 14 599,83 Euro

896. 44 952,72 Euro

897. nach 14 Jahren 8 Monaten und 8 Tagen

898. 10 477,58 Euro

899. 6 146,10 Euro

900. 797 900,88 Euro

901. 1 273,93 Euro

902. 5 219,85 Euro

903. 193,03 Euro

904. Sollsaldo: 20 062,76 Euro

905. 363 564,29 Euro

906. **a)** 22 291,98 Euro **b)** —

907. Annuität: 38 101,93 Euro

908. **a)** 1 710,92 Euro **b)** 2 545,45 Euro

909. **a)** Annuität: 43 216,29 Euro **b)** Annuität: 43 698,25 Euro

910. Annuität in den ersten zwei Jahren: 44 489,65 Euro
Annuität in den folgenden Jahren: 35 711,88 Euro

911. Annuität: 12 265,67 Euro

912. **a)** 50000 Stück **b)** 100 Stück

913. **a)** (3) **b)** (4) **c)** (1) **d)** (1) bzw. (3) **e)** (2) **f)** (1) **g)** (1), (2) oder (3) **h)** (2)

914. **a)** (1) Die Fragen des Fragebogens sind nicht verständlich bzw. der Aufbau des Fragebogens ist nicht eindeutig.
(2) Missverständnisse bzw. Unklarheiten können nicht aufgeklärt werden, weil es sich entweder um eine schriftliche Befragung handelt oder die Interviewerin bzw. der Interviewer bei einer mündlichen Befragung nicht ausreichend geschult ist.
(3) Nicht jede(r) Angeschriebene antwortet.
(4) „Heikle" Fragen (z. B. nach der Höhe des Einkommes) werden oft bewusst falsch beantwortet.
(5) Es werden — z. B. aus Unaufmerksamkeit — unbewusst falsche Antworten gegeben.

915. Nein.

916. unter der Voraussetzung, dass in allen Klassen gleich viele Schülerinnen und Schüler sind

917. —

918. **a)** ausreichend abgegrenzt **b)** zeitliche Abgrenzung fehlt
c) sachliche Abgrenzung fehlt (Was ist ein Computer? Gehören nur „große" EDV-Anlagen dazu oder auch Taschencomputer, wie sie heute fast jede Schülerin/jeder Schüler besitzt?)
d) räumliche Abgrenzung fehlt (Österreichische Staatsbürger(innen) können auf der ganzen Welt geboren werden, nicht nur auf österreichischem Staatsgebiet.)
e) ausreichend abgegrenzt **f)** räumliche und zeitliche Abgrenzung fehlt
g) sachliche Abgrenzung fehlt (Zählen zu den Mitarbeiterinnen und Mitarbeitern nur Arbeiter(innen) und Angestellte oder auch freie Mitarbeiter(innen), z. B. Autorinnen und Autoren?)
h) sachliche Abgrenzung fehlt (Was sind „exotische Tiere"?)

919. a)

Note	Anzahl	(absolute) Häufigkeit H_i	(relative) Häufigkeit h_i
sehr gut	2	2	10 %
gut	5	5	25 %
befriedigend	9	9	45 %
genügend	3	3	15 %
nicht genügend	1	1	5 %

b) 20 c) 15 %

920. a) Burgenland: 1,074 %, Kärnten: 2,811 %, Niederösterreich: 8,290 %, Oberösterreich: 8,447 %, Salzburg: 4,678 %, Steiermark: 5,699 %, Tirol: 3,937 %, Vorarlberg: 2,149 %, Wien: 12,713 %

b) Nein c) Vorarlberg

d) Burgenland: 15,634 %, Kärnten: 13,369 %, Niederösterreich: 14,130 %, Oberösterreich: 13,250 %, Salzburg: 18,086 %, Steiermark: 16,576 %, Tirol: 19,932 %, Vorarlberg: 15,865 %, Wien: 17,585 %

921. a)

Bundesland	Wohnbevölkerung	Familien	Haushalte	PKW und Kombi/ 1000 Einwohner	(1) PKW und Kombi/ Familie	(2) PKW und Kombi/ Haushalt
Burgenland	270880	75528	96900	491,2	1,762	1,373
Kärnten	547798	148932	209800	473,2	1,741	1,236
Niederösterreich	1473813	409603	564600	510,8	1,838	1,333
Oberösterreich	1333480	359402	502300	483,2	1,793	1,283
Salzburg	482365	127663	191000	454,0	1,715	1,147
Steiermark	1184720	323816	444200	479,0	1,752	1,278
Tirol	631410	163957	235800	438,4	1,688	1,174
Vorarlberg	331472	86149	121100	443,5	1,706	1,214
Wien	1539848	414078	765300	385,7	1,434	0,776
Österreich	7795786	2109128	3131000	461,0	1,704	1,148

922. mehrere Lösungen möglich

923.

Klasse	absolute Häufigkeit	aufsummierte relative Häufigkeit
[24,26[	5	0,333
[26,28[	2	0,467
[28,30[	1	0,533
[30,32[	7	1,000

924. b) Es liegen nicht insgesamt 100 % vor. **c)** Liniendiagramm, Histogramm

925. b)

x-Personen -Haushalt	1	2	3	4	5	6	7
aufsummierte relative Häufigkeit	0,128	0,324	0,595	0,841	0,945	0,995	1,0

926. Der absolute Gewinnanstieg war in den Jahren 1995, 1996 und 1997 jeweils gleich groß, der relative Gewinnanstieg war 1995 am größten.

927. —

928. a) wahre Aussage **b)** wahre Aussage

c) aus der Grafik nicht ablesbar, da nicht alle Jahre seit 1980 ausgewiesen

929. a) 0 **b)** 11 **c)** $H(0 < x < 10) = 3 \cdot 1 + 4 \cdot 2 + 5 \cdot 1 + 2 \cdot 1 = 18$

930. a) 5 **b)** 10 **c)** 25 %

931. b)

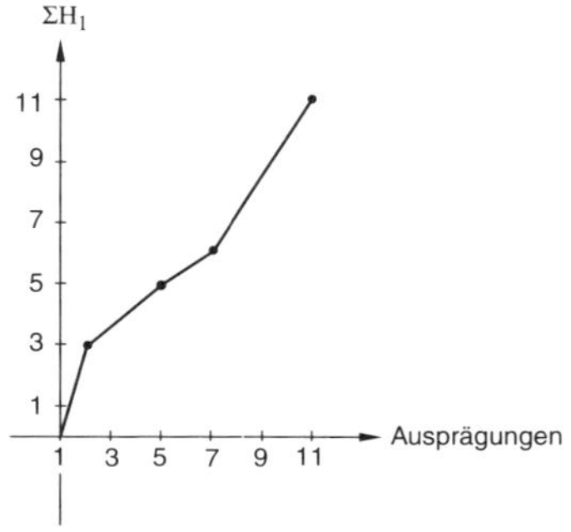

932. Merkmalsklasse 5 – 7: 20, Merkmalsklasse 7 – 11: 160, Merkmalsklasse 11 – 12: 20, Merkmalsklasse 12 – 16: 120

933. a) 24,25 **b)** 25 **c)** 25

934. 67,13

935. 58

936. Für die Berechnung der Durchschnittsgeschwindigkeit ist die Gesamtzahl der zurückgelegten km durch die dazu benötigte Stundenzahl zu dividieren.
Insgesamt wurden $3 \cdot 320$ km = 960 km zurück gelegt, wofür folgende Zeiten benötigt wurden:
Am 1.Tag: 320:100 = 3,2 h
Am 2.Tag: 320:120 = 2,67 h
Am 3.Tag: 320: 80 = 4 h
9,87 h
Durchschnittsgeschwindigkeit: $\frac{960}{9,87} = 97,3$ km/h
Bemerkung: Diese Mittelwertberechnung wird auch „harmonisches Mittel“ genannt.

937. 1,17 Euro

938. 68 % Angestellte, 32 % Arbeiter

939. —

940. a) D 1488: 72,53 km/h, D 288: 69,47 km/h
b) Die durchschnittliche Fahrgeschwindigkeit ist bei D 1488 größer.

941. 1,793 %

942. 2,281 %

943. Zentralwert

944. a) geometrisches Mittel **b)** arithmetisches Mittel

945. —

946. ca. 3,5

947. w = 7,2

948. w = 27,2 cm

949. a) $e = 4,\dot{6}$ **b)** $s^2 = 26$

950. a) $\bar{x} = 10,05$ **b)** $s^2 = 40,58$ **c)** $s = 6,37$

951. a) $\bar{x} = 3,36$ **b)** $s = 2,49$ **c)** $e = 1,31$ **d)** $e_z = 1,26$

952. $\bar{x} = 591,18$ Arbeitsstunden, $s = 274,52$

953. a) (1) $\bar{x} = 1011,5$, $s^2 = 48992,75$ (2) $\bar{x} = 5955$, $s^2 = 932350$

954. a) $\bar{x} = 3372000$ Schilling **c)** $e = 1793400$ Schilling
d) $s = 1988600$ Schilling

955. b) (1) im Durchschnitt größte HTL: Burgenland
im Durchschnitt kleinste HTL: Vorarlberg
(2) im Durchschnitt größte HAK: Wien
im Durchschnitt kleinste HAK: Burgenland

956. —

957. a) 15 **b)** 135

958. 39 916 800

959. a) 1 000 **b)** 64 **c)** 400

960. a) 6 000 **b)** 384 **c)** 2 400

961. a) 2 520 **b)** 5 040

962. a) 3 360 **b)** 20 160 **c)** 181 440 **d)** 720

963. a) 120 **b)** 20

964. 1 039 %

965. 3

966. a) 1 307 674 368 000 **b)** 1 302 454 808 958 **c)** 0,4 %

967. 13 983 816

968. 336

969. $10^{113{,}25}$

970. $10^{267{,}604}$

971. $1{,}54997 \cdot 10^{40}$

972. $2{,}03875 \cdot 10^{79}$

973. a) 120 **b)** 201 376

974. a) 6 084 816 **b)** 1 242 676

975. 20 160

976. 30

977. 2 097 900

978. a) (1) $\frac{1}{2}$ (2) $\frac{1}{3}$ (3) $\frac{2}{3}$ (4) 1 (5) 0

979. $\frac{1}{2}$

980. $\frac{3}{91}$

981. $\frac{1}{100}$

982. $\frac{1}{7192}$

983. a) 0,5261 **b)** 0,3687 **c)** 0,9173

d) $P(A \cap B) = P(A \mid B) \cdot P(B) = 0{,}9173 \cdot 0{,}3687 = 0{,}3382$

e) (1) $P(A \cup B) = \frac{56078+3251}{106587} = 0{,}5566$

(2) $P(A \cup B) = P(A) + P(B) - P(A \cap B) = 0{,}5261 + 0{,}3687 - 0{,}3382 = 0{,}5566$

984. b) 0,9 **c)** 0,1

985. 0,5

986. a) 0,6 **b)** 1

c) Das Ergebnis von **a)**, dass beim zweiten Sprung die Wahrscheinlichkeit sich etwas zu brechen größer sei als beim ersten, lässt die Aussage aus „Die Brücke am Kwai“ als zumindest fragwürdig erscheinen. Das Ergebnis von **b)**, das sichere Ereignis, dass sich jeder Fallschirmspringer beim dritten Absprung etwas bricht, ist jedenfalls eine falsche Aussage.

Bei Aufgabe **a)** war der Ausgangspunkt, dass die Verletzungsgefahr beim zweiten Sprung davon unabhängig ist, ob man sich beim ersten Sprung etwas gebrochen hat. Es ist nun möglich, dass die hier angenommene Voraussetzung falsch ist und die beiden Ereignisse voneinander abhängig sind. Für diesen Fall ist zu wenig Information gegeben, um eine exakte mathematische Berechnung durchzuführen. Weiters muss man sich das Zitat genauer ansehen: Laut Zitat soll die Verletzungsgefahr von der Ausbildung unabhängig sein. Wäre das tatsächlich der Fall, würde sich jede Fallschirmspringerausbildung erübrigen. Außerdem erwähnt der Autor keine andere Ursache der Verletzungsgefahr. So spielen sicher Faktoren wie z. B. „Fallschirm“, „Fallhöhe“ und „Zielgebiet“ eine wesentliche Rolle.

987. —

988. —

989. —

990. a) 0 **b)** $\frac{800}{27}$

991. a) 0 **b)** $\frac{1}{9}$

992. a) $\frac{1}{4}$ **b)** $-\frac{4\sqrt{2}}{3}$

993. a) $\frac{16}{3}$ **b)** $-10\sqrt{2}$

994. a) $-\frac{3}{2}$ **b)** 2

995. a) $10\sqrt{2}$ **b)** $-3\sqrt{3}$

996. a) $\frac{8\sqrt{3}}{3}$ **b)** $\frac{2\cdot\sqrt[3]{9}}{9}$

997. a) $\frac{4}{3}$ **b)** $-\frac{24\cdot\sqrt[4]{13}}{13}$

998. a) Error, weil eine Wurzeldiskriminante negativ ist

b) $\frac{7\sqrt{3}}{3}$

999. —

1000. —

1001. —

1002. —

1003. a) S(2, −6) **b)** S(1, 1) **c)** S(1,25, −3,125)

1004. a) $\frac{\sqrt{2}}{2}$ **b)** $\frac{1}{2}$ **c)** $\sqrt{3}$

1005. a) 1 **b)** $\frac{\sqrt{5}}{4} - \frac{1}{4}$ **c)** $\sqrt{3}$

1006. a) 0,295731 **b)** 0,842834 **c)** 0,331359

1007. a) 47,7297 **b)** 290,097

1008. a) 3,76991 **b)** 2,30855

1009. a) 1,22004 **b)** 35,9999

1010. a) kein reelles Resultat **b)** kein reelles Resultat

1011. a) $3°9'$ **b)** $177°16'48''$ **c)** $9°48'23{,}4''$ **d)** $179°18'50{,}4''$

1012. a) $x = \frac{\pi}{2}$ **b)** $[0{,}2\pi[$ **c)** $x = \frac{(8n\pm1)\pi}{4}$ oder $\frac{(8n\pm3)\pi}{4}$

d) $(4n+1)\cdot\pi$

1013. $3\cdot2\pi,\ 2\pi,\ \frac{2\pi}{3}$

1014. $2\cdot2\pi,\ 2\pi,\ \frac{2\pi}{2}$

1015. $c = 26{,}4507\,\text{mm},\ \alpha = 36{,}8187°,\ \beta = 45{,}3639°,\ A = 150{,}589\,\text{mm}^2$

1016. $\alpha = 38{,}6248°,\ \beta = 92{,}866°,\ \gamma = 48{,}5092°,\ A = 134{,}831\,\text{mm}^2$

1017. a) 1,60944 **b)** 0,135335 **c)** 1,02165

1018. a) 7 **b)** 0,735759 **c)** 1

1019. a) 27,3082 **b)** −0,638674 **c)** 3,71828

1020. b) 1 Milliarde: 1799
5 Milliarden: 1979
6 Milliarden: 1999
c) $7{,}63929\cdot10^9$
d) für Gleichung **a)**: 2076
für Gleichung **b)**: 2034

1021. a) $\{-1,\ 4\}$ **b)** $\{1,\ 2\}$ **c)** $\{-1{,}86,\ 2{,}86\}$

1022. a) $\{3\}$ **b)** $\{0{,}101768,\ 9{,}82626\}$ **c)** $\{3\}$

1023. a) $\{-\frac{87}{181}\}$ **b)** $\{2\}$ **c)** $\{5\}$

1024. a) (1) 21,7147 (2) 144,765 (3) 1085,74

b) (1) 13,14% (2) 13,83% (3) 11,66%

1025. a) $\{-\frac{1}{3},\ -3\}$ **b)** $\{-\frac{1}{2}\}$

1026. a) $\{-6,\ \frac{1}{3}\}$ **b)** $\{-\frac{1}{8},\ 5\}$

1027. a) $\{-\frac{1}{3},\ -3\}$ **b)** $\{-4\}$

1028. a) $\{0{,}206726,\ 4{,}83731\}$ **b)** $\{0{,}018533,\ 53{,}9574\}$

1029. a) 10,2956 **b)** 10,4403

1030. b) (1) $8-3i$ (2) $7+4i$

1031. —

1032. —

1033. —

1034. —

1035. **a)** 1 **b)** $-i$ **c)** -1 **d)** i

1036. **a)** $10-3i$ **b)** $-4+28i$ **c)** $17-7i$ **d)** -769

1037. **a)** $21+20i$ **b)** $-117-44i$ **c)** -4 **d)** $5646+6121i$

1038. **a)** $\frac{4-7i}{5}$ **b)** $\frac{-19+8i}{25}$ **c)** $\frac{-47-248i}{2197}$ **d)** $\frac{-118+359i}{28561}$

1039. **a)** $\frac{-13+16i}{17}$ **b)** $\frac{-83-39i}{841}$ **c)** $\frac{-43+49i}{125}$ **d)** $\frac{164833-354144i}{6103515625}$

1040. **a)** $1920i$ **b)** $\frac{-703919-68880i}{707281}$ **c)** $960-280i$ **d)** $2{,}58683+2{,}17683i$

1041. **a)** $-0{,}014704+0{,}007057i$ **b)** $0{,}043214$ **c)** $2189{,}72-2801{,}79i$ **d)** 0

1042. —

1043. **a)** $|\vec{u}|=7{,}34847,\ |\vec{v}|=5,\ |\vec{w}|=5$ **b)** $126{,}847$ **c)** $\begin{pmatrix}0\\-20\\0\end{pmatrix}$

d) 20 **e)** -40

f) B (6, 1, 1), C (3, 1, 5), D (−2, 1, 5), E (2, 3, 8), F (7, 3, 8), G (4, 3, 12), H (−1, 3, 12)

1044. **a)** 2928,93 Euro **b)** 4458,96 Euro

1045. **a)** 3,75 % p. a. **b)** 4 % p. a.

1046. **a)** 1650,— Euro **b)** 2203,76 Euro

1047. **a)** 4 Jahre **b)** 12 Jahre

1048. **a)** 2253,19 Euro **b)** 2166,53 Euro

1049. **a)** 1146,14 Euro **b)** 1186,26 Euro

1050. **a)** 0,657117 % p. a. **b)** 1,31424 % p. a.

1051. **a)** 7630,14 Euro **b)** 7389,97 Euro

1052. **a)** 2334,01 Euro **b)** 2392,36 Euro

1053. 3 % p. a.

1054. **a)** 2 % p. a. **b)** 2,25 % p. a.

1055. 4,3 % p. a.

1056. **b)** Median: 4, Minimum: 1, Maximum: 14, Spannweite: 13

c) $\bar{x}=5{,}8182,\ s=3{,}393$ **e)** 4

f) 5,81818 **g)** 3,39299

1057. **b)** Median: 14, Minimum: 5, Maximum: 19, Spannweite: 14

c) $\bar{x}=13{,}16,\ s=3{,}2649$ **e)** 12

f) 13,16 **g)** 3,26

1058. **a)** 30 **b)** 12

1059. **a)** 12 **b)** 10,454545

1060. **a)** — **b)** 10,82 **c)** 6,25

1061. **a)** 120 **b)** 35 960 **c)** 8 145 060 **d)** 19 900

1062. **a)** 6 227 020 800 **b)** 8 204 716 800 **c)** 53 970 627 110 400 **d)** $1{,}82485 \cdot 10^{65}$

1063. 87 178 291 200

1064. 120

1065. 7 893 600

1066. 20

1067. **a)** $\{(1{,}6),(2{,}5),(3{,}4),(4{,}3),(5{,}2),(6{,}1)\}$ **b)** $\frac{1}{6}$ **d)** 17

1068. **a)** $\{(4{,}6),(5{,}5),(6{,}4)\}$ **b)** $\frac{1}{12}$ **d)** 8

1069. **a)** $\frac{1}{6}$ **b)** $\frac{1}{2}$ **c)** $\frac{5}{6}$ **d)** 1

1070. $\frac{1}{3}$

1071. **a)** $\frac{5}{7}$ **b)** $\frac{4}{7}$ **c)** $\frac{2}{7}$

1072. **a)** $\frac{1}{2}$ **b)** $\frac{11}{15}$ **c)** $\frac{19}{30}$

1073. $\frac{4}{5}$

verlaghpt.at

Dieses Lösungsheft enthält die Lösungen (Endresultate) der Aufgaben des zugehörigen Lehrbuchs (Schulbuchnummer 5591). Zu den im Lehrbuch speziell gekennzeichneten Aufgaben bzw. Aufgabenteilen wird der Lösungsweg ausführlich dargestellt.

Das Lösungsheft ist im Anhang zur Schulbuchliste enthalten, kann aber auch außerhalb der Schulbuchaktion über den Buchhandel bezogen werden.

www.verlaghpt.at

Mathematik 2 Lösungen [Schalk-Steiner]
Schulbuchnummer: 5592
ISBN 978-3-230-02678-1
Wien, 3. Auflage

Alle Drucke der 3. Auflage können im Unterricht nebeneinander verwendet werden.

9783230 026781

Dieses Schulbuch wurde in Österreich entwickelt, hergestellt, gedruckt und gebunden.